劉福春・李怡 主編

民國文學珍稀文獻集成

第四輯

新詩舊集影印叢編　第122冊

【長虹卷】

光與熱（下）

上海：開明書店 1927 年 2 月初版

長虹 著

國家圖書館出版品預行編目資料

光與熱（下）／長虹 著 -- 初版 -- 新北市：花木蘭文化事業有限公司，

2023〔民 112 〕

196 面；19×26 公分

（民國文學珍稀文獻集成・ 第四輯・ 新詩舊集影印叢編　第 122 冊）

ISBN 978-626-344-144-6（全套：精裝）

831.8　　　　　　　　　　　　　　　　　　111021633

ISBN-978-626-344-144-6

9 786263 441446

民國文學珍稀文獻集成 ・ 第四輯 ・ 新詩舊集影印叢編（121-160 冊）

第 122 冊

光與熱（下）

著　　者　長虹
主　　編　劉福春、李怡
企　　劃　四川大學中國詩歌研究院
　　　　　四川大學大文學學派
總 編 輯　杜潔祥
副總編輯　楊嘉樂
編輯主任　許郁翎
編　　輯　張雅淋、潘玟靜　美術編輯　陳逸婷
出　　版　花木蘭文化事業有限公司
發 行 人　高小娟
聯絡地址　235 新北市中和區中安街七二號十三樓
　　　　　電話：02-2923-1455 ／傳真：02-2923-1452
網　　址　http://www.huamulan.tw 信箱 service@huamulans.com
印　　刷　普羅文化出版廣告事業
初　　版　2023 年 3 月
定　　價　第四輯 121-160 冊（精裝）新台幣 100,000 元　　版權所有・請勿翻印

光與熱（下）

長虹 著

一個神祕的悲劇

人物——A，B，C，D，E，一個農夫。

時間——五年的前後。

佈景——未預定。

第　一　幕

在郊外。

A　（握住B的手）最後的一次了，我的親愛的朋友！

B　（悲哀地，疑惑地看著A）不能夠再見了嗎？不能夠的！我相信在五年之後，至多在五年之後，我們一定會在別一個地方遇見。而且那一定是一個光榮的遇見。

A　我不反對這個。但是——我應該怎麼說呢？——但是，現在的別離使我覺得那是不可能的，的確，我現在相信那是不可能的了。

B　請你回去好了，我的親愛的先生！情感使你失常；在你回去的路上有往日的確定等候著你。

A　不的，我現在是這樣地鎮靜，而且我能夠這樣

— 133 —

鎮靜地說話——

　　B　天會護佑着你，一個自由的天使!

　　A　什麼，是天嗎?（他望着天空）　便是那個淡白色的氣體嗎?

　　B　總會有東西在護佑着你，你，一切都將待你而復活的!

　　A　那是什麼呢?那是什麼呢?況且，那些待我而復活的——牠們將待一個死人而復活嗎?

　　B　那末，正義，真理，牠們將要擁護牠們的主持者!

　　A　不然，那個最仇視我的，那個將用他的血刃貫在我的心上的，便是我所最愛的東西。

　　B　卽不然——卽不然——那末，我總會擁護你的，你的惟一的學生!

　　A　（突然陷入一種竭力強制大的驚詫的狀態中，一刹那後，又恢復了他的安閒，但那後面還像藏在更大的驚詫與痛苦。)你嗎?——你嗎?——別了!祝我們的將來的勝利!

　　A　蠢然立在他原來立着在的地位，出神地望着，直望到不見一點影子的時候。

第 二 幕
在一間鄉村式的房裏

— 134 —

C　祝福我們,一個新的戰士將要來到了!

D　我相信我只能看見一個屍體!

C　一個更強的新的戰士,他會比我們能幹到一千倍。

D　我還沒有知道過世間有更強的那麼個東西。

C　當太陽走近白雲的身邊的時候,白雲會變做紅霞,那將要來到的,便是我們的太陽。

D　但是,什麼是我們呢?

C　那些看見我們便要跑掉的敵人 ,到他來的時候,他們將要像那廣袤的冰洋,但是,在熱帶上,你不會看見牠們的一點影子。

D　但是,我們是在熱帶之外。

C　那同我強辨的是你的固執,將來的驚異會把你推到我的身邊去反對你自己。

D　但是 ,你那樣在吹噓着的究竟是怎麼一回事呵?

C　一個不曾見過面的朋友,叫做B的,就在今天的早上,也許便是現在,要來冒險他的訪問。

D　我並且永遠沒有見過這個名字,

C　是A介紹來的。他說,那不能獲得他的助力的人們,他們將要遇見比他更強的助力了。那個A—— 你能

—— 135 ——

够不記得 A 同我們的那件往事嗎?

    D (驚異開始反對他自己,) 從天上來的消息嗎?請你把剛纔說過的話同我再說一遍!

    C 原諒我,也許我在欺騙過你了。

    D 眞誠的,坦白的朋友,把那精神上的刑罰完全讓我自己去執行好了!

        ——門響。

        ——進來!

  CD 你是 B 嗎?!

  B 你們是 C 和 D 嗎?!

CDB 祝我們的老朋友們第一次的會面!!!

    他們三個人握著手,像小孩子似的跳着,叫着,——幕下.

第 三 幕
在一間城市式的房裏。

  A E兒還沒有回來嗎?天地這樣地黑暗!

    一個十六七歲的小姑娘跑了進來,

  E 爸爸!什麼事!

  A 風刮得這樣大! 今天是一個什麼日子呵?有什麼消息聽到沒有?

  E 外面—— (遲疑半晌,) 外面的迎春花都被風吹

— 136 —

散了,牠們被吹在空中像一陣金黃色的雨。

    A   明年牠們終會再開的!但是,外面有什麼神異的事出現沒有?

    E   沒有,沒有!(雖然不願意說.)但是,人們都說,我們家裏却有一個神異。

    A   神異?我們的家裏?

    E   他們都在那樣說,但是他們都不告訴我那個緣故。

    A   我好像聽見有什麼在嗚咽的聲音。不然!不然!這是我自己掉下的眼淚!

      他自己嗚咽起來,E惶惑地,不知何故地跳在他懷裏,她擁抱着他,哀泣地問。

    E   你怎麼了,爸爸?

    A   我什麼也沒有!我什麼都不會有!

    E   你病了嗎,爸爸?

    A   我一向沒有過這樣健康。我現在是一個孩子,同你一樣地一個很小的孩子。

      一副別樣的氣色,像只能在圖晝中所看見的,他變做一個孩子,在她的頰上,眉上,額上,頭髮上接了一千個熱烈的吻。

    E   (驚呼着,夾雜着歡忻.)   你的眼淚在接吻我!牠們像一陣洪水要把我淹沒了。

A　親愛的孩子！一切都過去了。

F　外面是那樣地寂靜！

A　而且,迎春花又在開了,

F　而且,黑夜已經來到。

A　而且,明天將要有一個清明的早上。

F　點上燈嗎,爸爸?

A　可以！

　　　走出去,

A　(獨語着,)而且,一個神異——?

第 四 幕
與第二幕同。

B　風頭很不好的,我疑惑有什麼意外的事要發生了。

C　事情總常是那樣,在我們前面守候着的自然總常是失敗。

B　我並不討厭我們的老主顧一點,只是這一次,我有些陷入自我的破滅了,一切都正是出於我的意外！
(一停,)D那裏去了?

C　他到——他會給我們以消息的。

B　你近日也並沒有聽見關於A的新聞嗎?

— 138 —

C　一點也沒有。我一向聽不到從那裏來的什麼。

B　（望着遠處，像有所懺悔似的。）　敬愛的先生，請你原諒你所完成與所希望的！

走入。

BC　什麼？

D　一切都失敗了！

C　那我們怎麼辦呢？

D　誰能夠自由支配他的行蹤呵？

B　到A的家裏去！到A的家裏去！我的先生會給與我們一個安穩的居留，並且會給與我們那完全失掉的希望與力量。

CD　我們將攜帶些什麼呢？

B　我們只須攜帶那破滅的我們自己！

他們驚慌却又鎭靜地依次走出屋去．

BCD　別了，我們的老友！

他們一齊都向着那屋子點了個頭之後，便都走入荒野去了．

第 五 幕

與第三幕同。

E　B哥哥好嗎？

B　E妹妹好嗎？

E　這兩位——？

C　C！

D　D！

E　哦，是了，常聽爸爸說起你們。B哥哥，你們諸位是從那裏來的呵？

B　我們從——怎麼，先生不在家嗎？

E　爸爸嗎？從前天早上出去便沒有囘來！

B　哦！

E　問人們，也都說沒有見！

B　哦！

E　我也疑惑好像有什麼事發生了似的，大概爸爸是不願意讓我知道。

B　哦！

E　爸爸這幾天的樣子便同往常不一樣，每天像有什麼病苦似的，一句話也不說。

B　哦！

E　連同我都不說一句話，我幾乎疑惑他是在同我生氣。

B　怪事！這究竟是到那裏去了？連一句話也沒有留下嗎？

E　要不是我在門口望見他時，我還不相信他會那樣早便出門呢。

BC　那——那怎麼辦?

B　那——那我們得先打聽先生的下落了。但是，這件事情很可疑——

E　那——那諸位先住在這裏好了。爸爸也常說，要是B哥哥回來的時候，這裏便有了新鮮的空氣了。

B　那——好了，我們坐下慢慢地商量!

他們各人都坐了各人的位置，後面便突然傳來喧動的聲音，他們立刻都又跳了起來——幕下.

第 六 幕
在一小村莊中。

A　這裏叫什麼——

他突然聽見後面像有從一千個嘴唇裏迸出來的歡笑，他突然按回頭去.

A　那裏在談說着什麼人的命運?

一個農夫　一個奇怪的新聞! 一個被抓的老人逃走了。

A　哦!

一個農夫　聽說他在兩天以前便得到消息，所以抓了一個空。

—— 141 ——

Ａ　哦！

一個農夫　但是，他們去時，却遇到他的同黨在他的家裏，三個青年！

Ａ　哦！

一個農夫　但是，他們拒捕了，這些膽大的亡命徒！

Ａ　哦！

一個農夫　聽說有兩個受傷的，但是他們都逃走了。只抓住一個女孩子，說是纔有十四五歲。

Ａ　那位姑娘怎麼了？

一個農夫　他們因爲她年紀太小，所以放了。

Ａ　哦，這是對的！但是——天氣倒這樣晚了嗎？

一個農夫　是呀，你到什麼地方去呀？前面三二十里遠沒有村莊。

Ａ　那怎麼辦呢？

一個農夫　這樣年頭，走路也實在要小心。

Ａ　那——借光！請你借塊地方給我住一宿好嗎？

一個農夫　除了好地方沒有外，住一住是沒打緊的！那末，我們就回去好了。

　　Ａ 跟着農夫走去，他歎嚸着，好像一切都很滿意的樣子.

一個農夫　（像對他自己說話似的.）我們也都是老人。呵！

— 142 —

第 七 幕

在一個小城中。

A　一個光榮的遇見,哈,哈,哈!

B　而且,今天不正是五年之後的第一個日子嗎?

A　而且,一切都變了樣了!

B　我相信,我能夠在我的先生那裏得到最後的轉力。

A　你的先生現在是一個什麼都沒有的貧乏者了,沒有力量,沒有希望,而且沒有依賴心!

B　你有捨棄你的學生的決心了嗎?

A　我再也不能夠相信世間有先生那麼個東西。力量不是那麼個東西, 像禮物似的可以奉贈給別一個人的。

B　那末,力量是什麼呵?

A　那能夠自加說明的,纔是力量。

B　你的學生正在去追求那個說明。

A　但是,那個說明失敗了。

B　永久的失敗嗎?

A　永久的! 成功的,是那在失敗之前而能夠預知其失敗的——預知,我現在也不相信有什麼預知了。

B　最大的打擊! 先生! 你不願意原諒你的不能再受打擊的學生嗎?

A　我願意那些能受打擊的人們受打擊去!

B　你的學生是一個弱者,救救他!

A　我願意憐憫他,但是我沒有法子救他。

B　讓那個弱者休息一會子去,先生別了!

　　　他說着走了出去.

A　他依然是一個小孩子,哈,哈!

第 八 幕

與第七幕同。

B　也許D說得有理。

C　有什麼事出現了嗎?

B　我得到最大的失望。

C　從那裏?

B　從那五年前最愛我的我的先生。

C　他老先生的脾氣向來是很怪的。

　B　不,他一向沒有同我生過一點氣。我想, 他現在眞的是變了樣了。

C　那我們走掉不好嗎?

B　我不能走掉!而且,我還有什麼事可做呵, 那樣

— 144 —

倒埋的事!

    C   我在同一個孩子談話嗎?

    B   而且是那樣倒埋的一個孩子!

    C   什麼在你的心裏作怪呵?

    B   我不知道,我只覺得痛苦。

    C   你的先生來了!

    B   什麼?什——麼?——

第 九 幕

在曠野中。

    A   天地爲什麼這樣黑暗呵!

    他像尋找什麼似的四下裏走着.

    A   連B兒都不再在我身邊!

    他望着天空,像要把絕望交還了牠.別一面,B低着頭走來,凝視着地.

    A   別了一切!

    在突然的什麼聲音的響中 他鎮靜地攜帶着一切倒伏在地下. 吃驚的B清醒了的眼睛無須選擇 地射在他的屍體上.

    B   什——什——麼——

    他蹲在A的身傍,慟哭着, 但沒有眼淚.他失神地又站了起來。

B 一切都完了！

　　他應聲倒了下去，昏暈着，仰向着天空．C從後面趕來，在驚詫
中立住了脚．

C 什──什──麼　　?!

　　幕下

現實的現實

————是在一個夜裏，有一人踽踽獨行，像在尋求着什麼。他從此處望到彼處，從彼處望到此處。

我從他的影看見他的心，但我不願或者不敢或者————或者————我沒有招呼他。我只遵循着他的視線去望他所望的，這在我覺得只有這個是我所能做到的事。

"一切都是一切，"我像在鏡中照着似的想着，但我不能夠無所焦憂。我於是想喊，雖然我終於忍耐住。

這時我便聽見一個長的噓氣，一個長而且大 ——我不知道牠是什麼樣式的大，我只覺得除這個字以外我再不能想一個更近於牠的 —— 的噓氣，我並且知道這是從那個獨行者發出來的，那個或者可以說是我所望見的惟一的伴侶的獨行者。是的，也許他正在那裏喊着，那個我所感到而沒有做到的喊，也許他在宣布他的什麼，因為我不了解他的話而致我并沒有聽出他是在說話。

我覺得孤獨，我想獨行，我想————我不願——

我覺得我似有所不安,不是那一個焦憂, 然而爲什麼——爲誰——-?——

我仍然望着他, 因爲這終於又成爲我所能做的惟一的事。

一條道路在那塊黑地上發光地露出牠的形相, 我們現在還有奇蹟發生;還有這樣大的奇蹟發生!

那個獨行者!那個大的——大的——!——

一個視線可以創造一條道路!

那個此處,那個彼處,那個此處,在那裏竟會有一條新的道路而且發光而且——而且——!——

我不知道該怎麼想,我忘形於——

而他越沈默,越勇敢,越堅決,越自樂。

無名的無名!一切奇蹟都將從他而發生!

於是,他的視線便又悼到一個別處,那個從沒有眼睛看見過的別處。我隨了他去,那是一個黑暗的總站。

我的眼中立刻像裝滿了一萬個鬼!

"一切都是一切," 我仍然固執着我的思想。

"時間是中夜了吧? 時間是中夜了吧? 時間是中夜了吧?" 這個重複的疑問插入我的思想一直到三次。

是的,這是一個無上的夜!

— 148 —

但我更加竭力保持着我的精神的平衡，因為我無所需求，雖然我——

我現在已像無所需求，是的，我——這是他的力量，他的！

我帶着我眼中的我一萬個鬼 去望那些鬼們自己，我遵循着他的視線，我的眼仍然保持着牠的精神的平衡。

那些，好像在分開了，一萬層美麗的高樓。須臾，牠們又像平躺在那裏，一萬個階級的樓梯的平躺。

這時，我的眼便突然變成完全的清開，我覺得一切都輕——我像站在一隻輕氣球上，飛落着，飛落着，漸次落在地下。

景象都變了。我能夠不是從一個夢中醒來嗎，從一個夢到一萬年的夢？

因為他又在望着他的那一條道路，當然了，那裏也便是我現在在望着的。

這是一個秘密，這裏只有我們兩個人，除他以外只有我，除我以外只有他那樣的兩個人。

而且我們又都不說話，雖然他却用做代替了說，他開創了一條道路。

— 149 —

那條道路在那裏發光,牠的光照着牠自己,照着他自己,照着我。

但我們這時都不大高與,雖然都不是破滅。

我看見他在他的路上走着,他從這頭走到那頭,從那頭走到這頭。他也像在想着一個疑難的問題。

他於是向着那別一個方向望去,像在追求着什麼,我隨了他去,我覺得像在鏡中照着似的明曉。

"一切都是一切,"我第三次想。

道路在發光着,他在勇敢地望着,我在平靜靜望着,黑暗在黑暗着,夜在夜着。你們可以從這裏看見一幅奇異而美麗的圖畫,而且你們只能看見一幅圖畫,你傻子們!

這些都不需要經過多少時間。

在那條道路上糢糊地敷衍着幾個虛弱的印痕, 那並不比蒼蠅在一塊豆腐上所遺棄的印痕更為明顯。牠們發光而且黑暗。牠們是一個,兩個,三個,四個──但是那正是證明牠們只是兩個,從牠們的來往的方向上。而且牠們是來而又往的。如其有人要把牠們同一個人聯想的時候,那他立刻便可以知道那裏曾來過一個人,而且已經囘去了。這也許會蒸發出一些無上的濃厚的

── 150 ──

雲霧，那表示着陰鬱與絕滅的。但這些近於傳說，因爲——

在別一面，在那黑暗的上面，那個整塊又顯然有些變態，那可以證明那裏曾經過一次劇變。在牠的上面也像有一些雲霧，但從那個形式看來倒是說牠是煙突中冒出的煙較爲合適，雖然無從辨出牠在冒出或者冒回。但是牠却表示着同樣的陰鬱與絕滅與另外的一些更不好的分子。這如其使人聯想到剛繞那一條路上，這便可怕，超於死乃至比死更甚一萬倍的。但這些，在這裏是應該不至於有的，因爲——

他現在站在他的發光的路上，影從他的脚與路的交界處出發投射到遠處。牠像鐵鑄的那樣強。

然而寂寞包圍着我們。這使我對於我的原防地生了懷疑。於是，他忽然向着我這裏望了過來，從我的這個覺察可以知道我在向着什麼方向望了。這是我們兩個第一次的不同方向的望。

我開始失掉了鎮靜，像要被什麼吞沒了似的，真的，我一點也不能夠挽回我自己不去做一件可以被吞沒的東西！真的！他說話了，那個要吞沒我的怪物！

"你在做什麼呵？"他決然地問。

— 151 —

"我在看着你所做的，"我回答，像一個機械。

"而且，你是誰呵?"他二次又問。

"我是你的影子!" 這眞是再壞也不會有的事，我一點也不能夠強制我不這樣說，那關於我的滅亡的!

景象都變了，從他的脚與路的交界處出發我平躺了下去，投射到遠處，像鐵鑄的那樣強!

但是——"一切都是一切!"

這時便什麼都平靜了，什麼都回復了原狀，雖然牠的內部蘊藏着最大的擾亂，一個不滅的看不見的狂飈，那力量可以破壞了一切的。

便是這個力量，於是那個最後的一次平靜，一個最確當的意義的回復——那是鬼都想不到的!

我甯願失掉了我自己，只要牠存在着，那個預示一切的創造的光! 只要——我甯願做一萬年那個沒有自己的影子!

這裏是沒有時間的，我不能夠看見這個大的破壞的發端與經過，牠像比那個奇蹟的發生還要快到一萬倍!

無名的無名!而且，一切都是一切

— 152 —

——是在一個夜裏，有一人踽踽獨行，像在尋求着什麼。他從此處望到彼處，從彼處望到此處。

我從他的影看見他的心，但我沒有招呼他。

草書紀年

分　配

　　某一個國裏,遭了年荒, 他們至於不能不互相吃國民的肉以維持國民的生命。

　　於是, 國民們都聚會在一處, 都破秤過他的肉的分量。凡有肉在平均最低限度之上的, 須把他剩餘的肉割下給別人吃。

　　於是, 只有一個最胖者, 他因為被割掉最多的肉, 死了。

海濱的世界

　　海濱有一個小池, 牠看見好多好多──牠所想象不來的多──的水都流入海中。牠向着海譏笑道:『你要那麼多的水有什麼用處呢?』

　　海沒有回答牠, 因為牠的聲音那樣小, 使海不能夠聽到。

— 154 —

形 與 影

形跑着,影追着。

形停住腳問影道:"你為什麼追我?"

"誰在追你?"停住腳的影反問。

形無話可答,於是又跑着,而影於是又追着。

於是,影倦了,而形不停腳地跑着,

祝福影吧,因為太陽終會有落下去的時候。

模 仿 的 創 造

在水的世界,蝦蟆為最蠢。

一天,牠在空中望見一隻小雀兒,牠向她祝道:"教給我你所能的一切,我的天神!"

小雀兒顯出不屑理牠的樣子,但終於唱了三聲,觱兒,觱兒,觱觱觱兒地飛去。

在數年的模仿之後,蝦蟆於是學會了叫,而且學會了跳。

四 季

冬愛花，春愛狂風，夏愛雲，秋愛露。

冬佔有了世界，那是多麼美富的世界呵！然牠很煩悶，因爲牠看不見一朵花。

到不可忍耐的時候，冬把牠的所有讓給了春。於是，春開始看見那些牠所在夢想着的都變了。

絕望的春終於又把牠的所有讓給了夏，而夏又讓給了秋。

牠們在相互交替中絕望着，夢想着，永沒有疲倦的時候。

恐 怖 時 代

曾經有過一個恐怖時代，那時人的頭會自己飛掉。

於是，膽怯者們便都抱住他們的頭相互驚問："我的頭那裏去了？"

人 哭 着——

人哭了。

自然強制着他的眼淚，安慰他：——

"親愛的孩子！我給你一切，我所有的一切。"

人哭着。——

— 156 —

"親愛的孩子! 我給你大山，給你鳴泉，給你像女妖的眼睛一般的星，給你最珍貴的世間祇有一顆的太陽。"

人哭着。——

"親愛的孩子! 我給你不知疲倦地旋轉的地球，你睡在上頭一點都不會覺得擺動; 給你比什麼都綠的草，使你看的時候會在你的黑的眼珠上印着綠的影子。"

人哭着。——

"親愛的孩子, 我給你靜寂, 當你休息的時候; 給你歡忻, 當你的心跳躍的時候; 給你變換的雲, 當你厭煩了平凡而在幻想的時候; 給你死滅, 當你捨棄生命的時候。"

人哭着——

變　遷

一羣螞蟻在大路上堆聚着。

於是, 中間的一頭最大的叫道:"人來了!"

堆聚立刻中分開一條線, 人走過去。

於是, 中間的一頭最小的報道:"人去了!"

螞蟻的堆聚終又合攏來橫斷了大路。

— 157 —

就像驢

農夫中意叫驢,因為他有力,因為他叫。但他們喜歡
牠的力,却討厭牠的叫。所以,叫驢從他的主人那裏得到
最大的重負與鞭策。

沒有人中意草驢的。雖然她馴順,雖然人們喜歡她
的馴順。她的不同的運命是:被愛與被棄。

"如能有牠那樣有力,又有她那樣馴順時,那是如
何一頭理想的驢子呵!"聽呵,主人在感慨地說了。

他自己的旅途

當太陽在赤道上旋博到五萬年的時候,有一天, 他
忽然厭惡了這條古老的程途, 他開始停住了他的脚,
"我需要一次新的游行,"他想了。

他向着北方走去, 於是到了北冰洋。"這是什麼地
方呵,這樣的冷!"他驚訝地嘆了口氣,連忙又回到他原
來的地方。

於是太陽又想了:"我終於是需要一次新的旅行!"
於是,他向着南方走去,他又走到了南冰洋。

— 158 —

"這是什麼地方呵,這樣的冷!"他二次嘆着, 二次又退了回去。

太陽這纔明白了,因爲他自己是熱的, 所以他只能夠佔有那熱帶。

這便是太陽所以直到現在沒有遷移他的旅途的緣故。

愚 蠢 者 的 幸 運

燕與貓遇見了,燕被捕。

燕向貓哀求道:"我給你唱一支小曲子, 你把我放了好嗎?"

貓的眼睛一轉,他允許了。

燕於是唱道:──

　　從前有一個美麗的天使,

　　上帝的最小的女兒,

　　她在雲的頂頭上唱着飛着,

　　能聽見她的歌的便被祝福了。

　　在無數年之後,

　　她開始飛向人間,

但被雲絆了一跤，

她掠在一個愚蠢者的唇邊。

你愚蠢者呵！

你能放過你自己的幸運嗎？

到曲子唱完之後，聽者已經倦了。於是，貓聽了好聽的歌，而且吃了好吃的肉。

人 類 的 由 來

你輕佻的人們呵！ 你們不是那個創造者手掌裏的一個小玩意嗎？如他的指頭一屈者，則你們——跋了！

從前有一個女魔，沒有懷孕，却生下三個兒子。她所最愛的那個最小的是三個裏的一個最傻的。一天她睨視着他， 她的手像拋掉什麽東西似的無方向地摔了一下，說道："去吧！"

後來，這個最傻的孩子便成了人類的創造者，而人類的歷史便從他而開始。

咄！女魔，我的愛！

太 陽 與 月 光

月亮本來沒有光。

一個晚上，太陽旅行到西海之濱，在他的正對面，他望見了月亮。

"一顆精緻的小球呵！"太陽驚異地想了。

"但是，這還缺少些什麼，這——我能夠分給她一些嗎？"

太陽想着，用了他的全力把他的光向着月亮發射出去。

瀟灑的月亮忽然感到了一種過度的緊張，震動得幾乎要昏眩了。她不知道什麼緣故，立刻用了她的全力向着遠方跑去。

太陽立刻追趕着在她的後面，用了他的全力。

在光的贈與與逃避的爭執中，月亮開始變成白黃色的了。而且，在每一個月的末了，月亮幾乎要被追上的時候，她便有一天藏在一個看不見的地方。

小 火 的 悲 劇

一苗小火在山的脚下草灘裏玩耍她打着跟頭，她竭力向四面擴張，她想打出一個大的圈子。

她忽然覺着全身發熱，好像她要被燒化了，她看見她變成一個大的火。

"是魔鬼在捉弄我嗎"她驚異地想着，開始向四面逃奔。

大火追趕着她，直到她所能夠逃避的地方。

"大火的完成小火的滅亡"。可惜到小火覺悟時，她已經死了。

雲 的 起 源

我們現在看見的那個最大的火球，牠在先倒是一個多情的怨女，沒有東西比她流過更多的眼淚。

一天，她旅行到一個山頂上，疲倦了，便停在那裏歇脚。走時，她把手絹子忘記帶了，那是鋪在她的身下當褥子用的。但她覺着很輕快，所以也便沒有回去取牠去。

這一幅絹子裏邊漬滿了眼淚，被山上的乾燥的空氣蒸溜着，被風吹在空中，牠的眼淚便二次又流了出來。牠輕鬆，牠舒展，於是分散着落到各個山頂上。

因爲同樣的緣故，牠們不斷地常聚會在空中。

— 162 —

我們現在却叫牠們做太陽與雲了，而也不知道雨
是悲哀的產物。

施 與 與 報 酬

墓塚立在路傍,等候着行人。

行人從牠身傍走過去,沒有一個人睬牠。

"他們為什麼那樣冷酷呵!"牠想着。

墓塚把牠的冤苦訴給自然,

自然用牠的沈默的眼睛睨視着牠,說道: "一架骨
頭對你已是太多的享受,你個不勞而食的蠢物呵! 你如
能使死骨生肉時,你的門檻將無法避免要被踏穿了。"

名 字 的 歷 史

一個不朽的名字長生在古書中。她常聽見人們用
敬重的口氣稱呼牠,但他們都不去問牠是誰。

"究竟我是誰呵?"牠憂疑着問牠自己,牠找不出一
個是屬於牠的的身體。

"我的身體那裏去了?"牠終於喪失在不可忍耐的
痛苦中。

—163—

一個少年老人走到牠面前，問道："光榮的孩子，你今天如何這樣憂鬱呵？"

牠把那個緣故告訴了老人。

老人歎了一口氣，說道："你是沒有身體的，因爲他們用侮蔑搗毀了那個身體，所以把光榮給與了他的名字以爲他們贖罪。"

"我寧願受他們的侮蔑，因爲我愛我的身體甚於我的光榮。"牠氣憤地說了。

老人幾乎要掉下淚來，他可憐這個太沒有經驗的孩子還不知道那也正是他們所做就的不可逃脫的圈套呢！

那個最偉大的詩人

人們都不知道他是--個詩人，也沒有見過他的一首詩，

但最古的記載上却有這一段寫道：——

當地球最初變成一個硬塊的時候，牠只在空中亂撞着，因爲牠缺少一件最重要的東西。一個原始的詩人看見這個，他本來以爲沒有可值得他寫一行詩的了，但他的同情終於破壞了他的決定，他

— 164 —

便破例又寫了一首詩贈給地球。從此，牠得到了牠的力，牠在那茫無涯涘的大氣中，創造出牠自己的道路。詩人自後途終絕筆云。

愚 蠢 的 智 慧

燕子在樹枝上叫着，大石立在湖邊。

大石想："我知道這叫是從樹枝上來的，而且那叫的是一隻燕子。"

燕子聽見牠的想，她哀泣道："世間原來沒有一件東西聽得懂我的歌！"

一個小兒從樹傍走過，用一塊石子擲在枝上，燕子絕望地飛去。

大石想："我知道那擲石子的是一個小兒，而且燕子逃走了。"

一 次 勝 利

兩個小兒在林中打架，他們各被他的對手摔了一跤。

"我得到了一次勝利！"兩兒都各想着，從歡躍中跑出了林外。

平 凡 的 普 遍

羣衆唱着合歡歌：——
　　我們從父母的身中走出，
　　經過了妻子與朋友，
　　我們走到墳墓裏，
　　除掉孩子之外，
　　我們沒有遺失了什麼。

蒙　　昧

　　幾個星在天上遙遙地談話。

　　一個星問道："聽說有人們叫我們以各樣的名字，究竟那一個名字是屬於誰的呢?"

　　於是他們便互相猜測，他們都把不同的名字給與別的一個，他們都自以爲對的，雖然覺着這是一件無聊的勾當。

　　從此以後，他們到無聊的時候，便常互相叫着他們所猜中的名字。例如：——

北極星向南極星叫道："文昌哥兒，你渴睡了嗎，那樣懶洋洋地?"

南極答道："織女姐兒又在說做夢呢!"

夜 的 佔 領

案上點着一支蠟燭，一人據案急書。夜佔領着其餘的全屋，

"我如何能夠把蠟燭吹滅呢?" 夜想着，用眼凝視在蠟燭的身上。

"我要休息，倦了。"蠟燭想着，身體便搖擺起來。"

"是睡覺的時候了。"人突然停住了筆。

蠟燭滅了，人停在牀上，夜佔領了其餘的全屋。

從牠的葉到牠的根

當大風來的時候，樹根沈默地想："我決不搖動!"

大風來了，樹葉搖動着，在牠的恐慌中。樹枝悲哀地想："我決不搖動!"

大風來了，樹葉飛在空中，樹枝搖動着，在牠的悲哀中。樹幹痛苦地想："我決不搖動!"

大風來了,樹枝被擺折落在四面,樹幹搖動着,在牠的痛苦中。樹根沈默地想:"我決不搖動!"

大風來了,樹幹倒在地下,樹根於是完全沈默了,在牠的沈默中。

一 個 藝 術 家

貓頭鷹初出世的時候,牠想做成功一個藝術家,因爲牠很明白牠自己是有那種天才。

牠第一次睜開牠的天才的眼睛,時間是夜裏。在一個巖石上牠威嚴地蹲着。

牠第一次觀察一切,牠想去發見什麼是光明與黑暗。

時間是夜裏。一切都在發亮着,但沒有躍動,他想·光明大概快來了吧。牠的心躍動起來,飛到對面的一顆樹上。

牠的心在樹枝上躍動着, 隨着樹枝的影子投射在地下,只有微小的烏黑的星,遮蔽着天空,他想: 光明大概快來了吧。

但一切都在靜默着,使牠的跳躍的心變成遲鈍,懷疑的陰影第一次侵入牠的眼睛。

— 168 —

時間是黎明。一切都在陷落着，恐怖的壓迫中斷了牠的想，使牠飛到牠所從來的去處。

牠憂愁地蹲在巖石上，開始覺到牠所遇見的大概是黑暗。牠驚慌着。

太陽上升了。牠的眼睛也陷落在黑暗中。牠無所見，無所想，一切都不復存在。

時間是黃昏。貓頭鷹開始發表牠的警句了：夜是光明，而晝是可怕的黑暗。

鳳 凰 的 再 生

兩個天使，一天他們都厭煩了天國的和諧與美麗，他們不約而同地嘆道："我如何能够到什麼地方旅行一次呢?"

於是，他們兩個立刻便成了同志，他們一路從天空飛了下來。

他們停止在一座大山上。他們的呼吸開始急促起來，因爲那裏的空氣是那樣污濁，停滯。

"一個更壞的世界!"他們二次不約而同地又嘆了出來。

這時，在山上所能望到的一塊地方便出現了一些

— 169 —

奇形怪狀的東西,有大部分都蹲在地上,倒像在歡呼着什麼似的。

——那兩個天使望見的,便是皇帝的巡狩呵!

於是,天使們氣得都幾乎要哭了出來,這是連他們的眼睛都沒有想到過的一種奇形怪狀。

從此,天使們二次又回到天國,永遠沒有再下來,因爲他們愛那裏的和諧與美麗。

這兩個天使便是書上所說的鳳凰,但人們却誤會爲他們是爲那個皇帝而出來的,雖然他們正是爲那個皇帝而回去的。

從此,我們的國裏便再沒有看見過鳳凰,除非到了一個和諧與美麗的新的時代。

古　訓

一個聖人告訴農民們說:"你們耐勞,所以你們應該忍苦!"

農民們沒有懂得這是什麼道理,但因爲他們已經那樣做了所以也沒有反對。

那是一個眞理,一直傳至現在還是一個眞理,那"你們耐勞,所以你們應該忍苦!"

— 170 —

而且，那個聖人是在四千三百二十一年前的一個不知道日子的中夜暴死了的。

被壓迫者的心理

老牛拉着載重的車從一個地方出發。老牛的汗同牠的主人的鞭輪流着給牠落下。

老牛不知道什麼叫做痛苦，牠只知道往前走。

要下坡了，老牛想着："游泳是好的！"牠便被什麼推擁着從坡上走下，牠的汗同牠的主人的鞭輪流着給牠落下。

這便到了平地，老牛想着："睡眠是好的！"牠便感到安穩，那樣牠走到平地的盡頭，牠的汗同牠的主人的鞭輪流着給牠落下。

於是，便要上坡，老牛想着："飛翔是好的！"牠像在追趕着什麼，達到坡的頂端，牠的汗同牠的主人的鞭輪流着給牠落下。

傳　統

每一塊墓石上有一塊碑文，這便是歷史與老人的

— 171 —

意義。

每一個人初生下來便同老人住在一塊。老人愛他，因爲他計慮着關於他的碑文者。

於是，每一個新生的人都很快地成爲碑文的抄寫者，保存者與傳授者，這樣，每一個小孩都很早地盼望着他的老之將至。

但這，應該換一個說法了——每一塊人上有一塊碑文，這便是歷史與老人的意義。

民 間 的 損 失

古代有很多的美的傳說創造自民間而且流傳在民間的。到秦始皇焚書而後，這些傳說獨特地保存着，因爲他沒有焚到人的嘴上。

後來，秦五皇便出來了，他發明了抄書的事業，抄那些從前所焚過的一部，而遺棄了那些沒有焚過的。

到秦十皇的時侯，傳說於是絕跡於人間而且也沒有人說過："抄書之禍甚於焚書！"

紅 的 分 類

紅有兩種意義:——

那在太陽的臉上的是代表光明;

但那在人類的臉上的却是代表羞恥。

調　和

小船向湖祈道:"讓我載人過去，但我不妨礙你的流動。"

湖沒有回答,但她展開一條道路給牠。

於是,人在船上過去,水在船下流動着。

等　待

有人想着:"明天到來的時候便好了!"

又有人想着:"明天到來的時候便糟了!"

世間只有這兩種人,而他們都悲戚地度過了今天。

解 放 之 後

愛從結婚中跑了出來，她歡快地跑着像一個脫獄的囚犯。但她的頭上還保留着那長厚的頭髮。

— 173 —

人們看見她時，第一便看見她的頭髮，便都逃避開她，他們想着："一個脫獄的囚犯！"

愛終日終夜地跑着，但她的歡快隨着時間逐漸減少着而至於無。

愛從結婚中跑了出來，她焦急地跑着像一個被逐的脫獄的囚犯。她的長厚的頭髮保留在她的頭上。

人們第一便看見她的頭髮，一齊便驚喊道："一個脫獄的囚犯！"但他們並不敢上去攔阻她。

一切都厭惡了，愛最後跑到一條荒溝裏，她靜靜地蹲在那裏。她變得那樣冷像一塊冰。

人們在溝裏看見那一塊冰蹲着時，他們什麼都沒有想，因爲那時正是冬天。

也沒有人知道她還回憶過她在結婚中的那些日子沒有。

生 與 死

兄弟兩個，一個叫做生，一個叫做死。父王仙化時。遺囑道："讓你倆平分了我的王國"

他們分了手，各自去行他們的職權。在許多年之後。他們忽然在一天又遇在一塊。兄是那樣枯瘦，而且他沒

— 174 —

有看見過像他的弟那樣的胖。

兄問弟道："你那樣的胖，你能够辨護你自己的失職嗎?"

弟回答："我的國裏，我找不見我可以做的一點事，因為一切都平安，一切都滿足。"他說着，便以同樣的問他的兄。

兄嘆了一口氣，答道："連我都快要歸化你了，我忙而我找不到一點成績。"

於是，弟第一次也嘆氣了，但他可憐他的兄的無用。他便約定了日期去參觀他兄的國。

那時，正在夜裏，--切都在睡眠着，除了那些呼吸的游絲在空中頹麼地飄蕩着外他分不出他們同他的國裏有什麼差異。

他對他的兄說道："這正像我的國裏的情形，那末，你再把牠分給我一半好嗎，如其你沒有更好的法子的時候?"

兄允許了他的要求。從此以後，他們弟兄兩個，生與死，便共治了生的王國，而且牠的國人把那較高的擁戴逐漸交給那個弟，直到兩個王國合併成一個為止。

老戰士和他的老馬

— 175 —

到戰爭完結了的時候，老戰士把他的惟一的喜歡讀書的孩子叫到他面前，吩咐道："一切都隨着我的戰爭同我的生命要完結了。只有那一匹老馬，那是我的最後的一點剩餘。到我死時候，你要尊敬牠像尊敬我自己。"說着，他閉住他的眼睛死了。

孩子尊敬他父親的咐吩，他用了同樣的尊敬去尊敬那老馬。

但是，那匹奇怪的馬，牠什麼也不喫，什麼也不喝，每天只是叫着，正像每次戰爭開始時牠所做的，

這樣過了三天。

末一天的早上，孩子到了馬棚的時候，他看見牠直立地死在槽下，牠的下眼皮掛着兩顆血珠，蹄很深地陷在地內。

從此便再沒有戰爭，孩子平靜地讀他的書。

歷 史 的 勢 力

心疲倦了。牠告訴牠的眼睛道："我要旅行去，你注意你所看見的，回頭報給我。"

心於是走進了牠自己的夢中。眼睛想着："我也可

以旅行去,反正什麼地方會沒有我看見的呢?"

眼睛於是閉住。牠看見一個新的夢。

心醒來時,眼睛作了牠的報告。心很滿意,因爲牠已經忘記了牠的夢。牠並且根據這一個報告去作牠一日的新的努力。

一日復一日,這樣地心向着一個新的方向去開拓牠所沒有到過的境地。

愛 的 沈 默

愛人們碰在一塊,他們擁抱着。他們竭力想說出一句話來,至少一句。

一個聲音響着: " 我多麼愛你呵! " 別一個聲音應着: "我多麼愛你呵!"——這其間。

愛人們擁抱在一塊,他們竭力想說出一句話來,但是他們終於找不到什麼是他們所要說的那句話。

藝 術 與 悲 哀

當那個最大的母親把人類造成的時候　他們還都是些小孩。他們活潑,歡躍,然而粗俗淺薄。

- 177 -

母親很憂愁,這不像是她自己的孩子。她竭力想着如何去做她的第二個工作。

她拿起一把剪刀, 用五色的美麗的雲剪成許多蝴蝶的樣式,她把牠們放在嘴邊輕輕地吹了一口氣, 便逐一陣奇異的雪花從空中飄揚地飛散了下去。

那時正是夜裏,孩子們都滿足地睡在牀上。每一個蝴蝶從每一個小孩的胸口飛了進來。他們立刻便都做了一個同樣的夢——這是他們第一次的做夢。

次日,他們醒來時,他們的夢都已忘記了,但是都覺着有說不出的苦楚似的, 他們第一次互相很親密地兩兩地握住他們的手。

詩 人 的 夢

一夜,小湖走進詩人的夢裏,問道:"我是這樣,美你來是這樣久了,爲什麼你不給我唱你的一個歌呢?"

詩人沈默着,但他的心允許了她的要求。

次日,詩人想起他的夢來,他便想寫一個歌,給他所愛的那個美的小湖。

想着,想着,他想到人間的惡濁與飢渴。"我的歌都那裏去了?"他終於像死一般的嘆了出來。

— 178 —

於是又夜了，詩人回復小湖說："因為你是那樣美，所以我來這樣久了，我不能夠給你唱我的一個歌！"

— 179 —

給——

1

那一個夜裏，
我從你的門前過去，
你的門關閉着，
像一個墓道。

但我沒有說話，
我只靜靜地望着那門，
我靜靜地走了過去，
怕驚了你的夢。

黑暗蹲着在我的前面，
我靜靜地走進牠裏邊，
我只留下這一個靜默，
在你的門上。

— 180 —

明早你醒來時，
你會立在那裏，
沒有形且沒有影，
你不會知道昨夜的秘密，

但我像遺失了什麼，
在你的門外，
當我走入一個遠的距離時，
我像一個迷途的燕子飛出
　　了天界。

於是你的影便給我出現了，
那是我只見過一次的影，
那是永久的，新鮮的，
甚似太陽　甚似我自己的
　　心。

她是那樣的美，
但我不敢把她同你對照，
雖然她已脫離了空間，
但她回到空間便會變了。

—— 181 ——

我於是停住我的腳步，
我已忘記了我那時要去何
　處，
我默默地對着你的影，
我不需要更多的言語。

她便開始移動了，
她到處便開闢了一條道路，
發着金色的閃閃的光，
牠指給我一個思想的途徑。

我於是走進了你的小房，
你默默地睡着像一彎新生
　的月亮，
但我並沒有驚異。
因爲這個倒像是我所應當。

你的影便消失了，
你的睫毛便開始跳動了三
　次，

— 182 —

那時便一切都明白了，
因為我的幻想正在那裏接
　吻了三次。

那時便一切都明白了，
我立刻孤身走出你的屋門。
留着你的影在你的身邊，
因為隨着我的已有她的主
　人。

我靜靜地從你的門前過去，
也沒有說話也沒有望，
我只默想着你做的夢：
一彎新生的月亮照在你的
　眼上。

那個夢也許你會忘記，
當你明早立在你的門前時
　候，
但我那時又要從那裏經過
　了，

你會知道我們那時會變成
　什麼人兒。

2

在空的盡處，
有一片瘝地，
曾有一無名的過客，
在那裏種滿了絕滅之花。

但到那花開放時，
過客已不知往何處去了，
在春來的第一個秒鐘，她
　開放，
她是那樣紅，像人心又像
　血的心。

當我醉臥在樓頂時，
我常想像着一個奇異的探
　訪，

— 184 —

如其你願意呵，
我們一同到那塊地方。

在我們兩個的面前，
那一片隙地上，
紅的花開放了，
她像人心又像血的心。

3

讓我放我的心在你的脚下，
當你厭煩地在開始移動着
　時，
我便會變做一個敗家子，
從他的坍塌的房中跑出。

你的睫毛在你的眼上怒竪
　鱗鱗，
你的眼皮高聳着像在追慕
　着天空，

— 185 —

便在那無言的恐怖時代我
　的愛呵，
讓我用最高的崇拜呵，接
　吻你的眼睛。

在煩惱的雲中我鎮靜着，
那時你在睡眠或者尚未出
　現，
我怕驚動了你，我防範着，
一個不規則的最小的聲張。

我生長在荒漠中的深山，
你生長在海洋下的幽淵，
但當我向着無涯在空望時，
我的愛呵，你便盈盈地走
　到我的眼邊。

在那想像的塔與塔間，
我建築起一座長橋，
當貓頭鷹在唱出牠的夜曲
　時，

再沒有更好的厚意，
像你所用以對待我的，
你雖然拒絕我的身的登門，
但你不拒絕我的心的入室。

當我走進一個傳奇的世界
　　時，
我夢見我在抱蛇而眠，
當我的充滿了毒液的血管
　　又清醒了時，
我的愛呵，我一千次在頌
　　祝你的神感。

被棄的落葉飛舞在秋的空
　　中，
去完成牠的華善的一生，
你便是那個偏私的自然，
　　我的愛呵，
我便是那個自然的愛寵。

墓塚裏我將要留下我的榮
　　名，
我的殘餘在那裏將你靜等，
一個信誓者將要走來，
她奠我以她的空白的酒罇。

我便要經過那裏呵，拜訪
　　你的香巢，

4

在你的淺碧色的眼中，
我看見我的悲哀的全面，
沒有際縫，
沒有波浪，
牠那樣穩定地躺着，
在我的心上。

從我的窗開處，
你偷擲進你的望眼，

— 188 —

沒有移動。
沒有聲喚，
"你驚動了你呵，"
我是那樣想。

5

當我死去的時候，
向我的棺材的摩文蓋，
你只要努一下你的嘴唇，
無論你的距離是多麼遠近，
我便會聽見你在說：
"這是應該的，"
從我的死骸中，
那時我將向你祝道：
"喂，我的救主！"

被遺棄在牀上，
連睡眠都已逃避。
只有白癡的夜在伴着我，

— 189 —

蚊子盤旋在周遭，
在那些美的讚歌的上面，
我看見你往日的幻影，
從我的迷惘中，
那時，我雖向你祝道；
"哦，我的救主！"

6

"待我二年，
不來而後嫁！"
愛呵——
你可允許我嗎？

這是一個遠的行程，
我也許遺失了一切，
在這個徒然的跋涉中，
也許是一個美麗的長征，
我將要奪回那無上的榮名，
但是這些呵——

我都在等著你。
"待我二年，
不來而後嫁!"
愛呵——
你可允許我嗎?

東村裏有一個富商，
他有富的誘惑如他的富的
　　家當，
有魔鬼做他的使者，
在偵察我的腳同你的眼，
在我走後的第三天，
一個求婚者便要來了，
幸運將要投奔在你的門上，

但是,"待我二年，
不來而後嫁!"
愛呵——
你可允許我嗎?

西村的那一個蕩子，

生他的母親便是一個狐狸，
但有男子的殷勤與女子柔
　　媚，
當我每一次在路上遇見他
　　時，
他無一次不顯示我他的妬
　　媙，
在鬼知道的一個時候他要
　　來了，
那時你也許會忘了我並忘
　　了你自己，
但是"侍我二年，
不來而後嫁!"
愛呵──
你可允許我嗎？

7

一個華美的夢，
我常抱着在心的深處，

怕的是些微的損傷，
我願牠做成個永久的祕密。

當游人來到我的心上的時
　候，
我將給他打開所有的門戶，
任他擲一朵鮮花或一塊石
　子別去，
但那個地方他休想一瞥的
　窺伺。

只有在無人的時候，
我纔展開牠在我的面前，
一個華美的世界——
我與你在分享呵，而且獨佔。

我們站着在山的頂尖，
我們伸手時撫摩着雲端，
但這些我們都厭倦了，
還不如我們且屈膝傾談。
從那個華美的夢中。

當我們在傾談時，
一個華美的人出來了，
他像是一切呵，又像我自己！

8

你的愛的火花的一爆，
便是天上的明星一粒，
但當那明星佈滿天時，
我的眼睛牠自己黑了！

9

我偷眼望着你時，
游雲正望着青天。
我慢步想着你時，
一灣新月呵，映入深潭。

— 194 —

10

在柔軟的微風上，
響出你的嘲笑來，
我靜默地聽着，
水在幽咽，
天在和穆，
樹在傷懷。

是那樣鋒利，
牠輕傷了我的心，
我靜默地想着，
是牠的殘忍，
是我的報酬，
是你的醜陋？

從怨毒的來處，
你囘過你的臉龐，
我靜默地望着，
嘴兒輕佻，
眉兒嬌蹙，
眼兒飄颻。

— 195 —

被眷戀的夕陽，
攜去了你的影身，
我靜默地躺着，
一時的懊惱，
過去的頌祝，
未來的憧憬。

11

在一個小湖的邊上，
有一所紅樓挺立在她的靈
　　陽光裏，
中有一人呵——她的眞正
　　的主人，
傾倚在梯傍洗衣。
路人從那裏經過時，
他們的眼睛都移向樓的深
　　處。

— 196 —

湖水淨如銀絲，
當微風從上面踢過時，
似有人在絮語，
密密的絮語呵，
你們是在樓中，還眞在湖
　　裏。

一個遠方的游人來了，
他帶着記憶與悲楚，
所有的塵世他都已看過了，
連一點黑的影子都沒有留
　　在他的心裏，
他最後來拜訪這個小湖，
他的腳步遲遲地走入他的
　　心之所注。

湖水是這樣的黯淡呵，
是一幅他的天然的畫圖，
仍然是衆水中之一滴，
他的眼睛在酸痛了，
但他已沒有一滴眼淚。

― 197 ―

在焦憂的搜尋中，
他望見了那一座小樓，
像朝日的半面初出在海上，
像紅裙的燕子蹁躚着飛下
　山陬，
像他華美的少年時代呵，
二次又出現在他的生命的
　盡頭。

只是一刹那的時間，
游客已變成座上客了，
主婦坐着在他的對面，
生與死的分離呵，
他不能夠相信這是一個真
　的會見。

她仍然是那樣窈窕，
雖然她的眉尖像已老了，
她的眼珠仍是同樣的明透，
有她的少年的倩影在中長

— 198 —

留，
她的語言像珠玉沈入水中，
正是從前那一副神異的嘴
　　唇。

她的頭髮在雲端聳起，
太陽從他的疲倦的程途之
　　中，
常歇息在牠的蔭裏，
她的頰上開放着海棠嫩紅，
微笑時像朵朵花瓣散落在
　　波心。

她的指頭觸着他的指頭的
　　時候，
他像沈醉在冰與烟裏，
血液氾濫着他的全身，
牠們忘記了牠們的道路，
像他在倦臥在蓮花的舟上，
當她的脚尖觸着他的脚尖。

― 199 ―

這不是天上的神仙美容，
是我與你邂逅在人間，
我初見你是在那銀灰色的
　　夢裏，
凌迷的月下，
紫色丁香樹傍。

在林木深處踟躕着，
我像一隻迷路的羊，
我的眼睛裏閃耀着無光，
一切都像要沈淪了，
我跟着我的脚步踟躕着，
只有無所知等着在我的前
　　面。

誰是我的主？
請你降臨我呵！
無所屬的我將屬於那個？
樹梢上並且看不見一隻鬼
　　眼，
被遺棄的我的心呵，你將飛

— 200 —

向何處?

那是一個什麼的神異呵,
便在那死的時間,
空中振盪的似有天使的翅
　　膀,
悲哀的月亮似乎在笑了,
墟墓間充滿了春的呼吸,
嫋嫋的你呵,從我的窰望
　　處走出。

你走到我的身傍,
我那時斜倚著丁香樹枝,
幸福的驚恐攤軟了我的四
　　肢,
我一時變成了無骸的雲烟,
溶消在月的色與花的香裏。

白色的淡霧覆蓋在路上,
有一簇濃霧從中湧現,
皎潔與芬芳交流著聚會在

那裏，
牠做成一個女子的形相，
帶着豐富的祕意你開始移
　　動，
像一道光的波影你留在那
　　氤氳中間。

我像從夢中醒來，
也許在躍入更深的夢裏，
我一時忘記了那華美的目前，
像清醒又像在沈醉，
我只知道一千次的讚美呵，
　　一切都是神異！

在我的身邊你選定了駐節
　　地，
你的浸瀉着驚寵的眼睛使
　　我癡迷，
在那裏我看見我的驕貴的
　　影子，
牠超出了歷史超出了想象，

我的生開始開拓到頂點，
並且在那裏呵，我看見你
　的矜貴的題句。

一刹那的迷戀呵，
我又從那裏走出在你的面
　前，
語言都變成枯朽的繩索，
思想是一塊骯髒的布片，
只有在無表示中表示出我
的沈默。

你於是在哭了，
你的笑給我以太陽的光喜，
月的虛弱的波浪開始跳動，
像要吞沒了美又吐出了美，
從那時你給了我一個永久
　的定形，
儲存在我的多變的心裏。

於是，一切便都消滅了，

像紅雲消滅給海上的晚風，
像偉大的理想消滅給夜的陰
　　影，
你歸去了，在你的上面的世
　　界，
留在這裏呵，我度我的凡生。

這已是許多年的陳跡，
一去不復返呵，
我該向何處找尋！
我曾入過深山，訪過白雲，
我曾走遍了天涯，
但天涯並沒有你的蹤影。

''那不是呵，那不是一個夢！
在太陽的下面，你聽我的行
　　蹤！
那一年在一個城裏，我與你比鄰，
是一個早上，你從我的門前過去，
那時間，我眼前的一切都在朝霞
　　中顫動。

— 204 —

你剎那間巳走遠了，
你像那落日似的再沒有回
　　望，
到我走回我的房中時，
白日巳變成了晚上，
我做了一個不醒的夢，
我夢見你常立着呵，在我
　　的面前。

從那一天起，我便再沒有
　　看見你，
我以爲你躲在遠方，
因爲有一次我從墳墓裏囘
　　來，
我雖只望見你的一個影呵，
到我趕牠時，牠早巳化作
　　無色的輕煙。”

這聲音正像那無色的輕煙，
他正像坐着在煙的裏面，

所有的歷史都隨着形骸飛
　　去，
只剩着她的聲音呵，在空
　　中流漾，
又像是他剛從她的門前過
　　去，
他們正是呵，第一次相見。

所有的夢的消逝了，
他們正是初次呵，相遇在
　　人間，
她是一個美妙的少女，
他是一個壯健的青年，
新的世界呵，徐徐地在向
　　他們開展。

12

我曾看見過朝雲，
但現在呵，天已黃昏，

如我能從白地歸來時，
愛呵！我可能重投入你的
　　懷中？

愛我的朝雲呵！
你們都那裏去了？
夕陽下晚風倦了，
你藏在那裏呵，我的少小！

從天的初啟的一角，
你伸出你的那一雙白手，
我，一個來出土的小芽，
愛的你呵，輕輕地把牠來
　　掩護。

朝雲掩抱着天邊，
你的手掩抱着在我的心上，
少小的清晨呵！
一切都活潑與新鮮。

從夢中走出時，

我仰望着蔚藍的天，
走入你的懷中時，
我仰望着你的俊俏的慧眼。

天，我的，你的眼呵！
你們便長此閉休了嗎？
烏雲中尚且有閃電在迸流
　呵，
　我們的烏雲呵便長此閉休
　了嗎？

你的處女的胸懷呵！
春天的純潔與夏天的溫熱
　呵！
但現在已是嚴冬了，
衰老者呵，瑟縮的戰慄呵！

已逝的流水呵！
已逝的年華！
如我能從白地歸來時，
愛呵！我可能重投入你的

── 208 ──

懷中嗎?

流水呵溶溶,
我的鬢邊呵,笑語風生,
當我坐在你的膝上時,
流水呵,在我的鬢邊溶溶。

小舟呵輕倩,
那時呵我已看見過海洋,
洶湧的白波久已停息了,
舟子呵,你飄流到了何方?

又像是洪水氾濫,
你的接吻呵,氾濫著在我
　的唇邊,
當我倚在你的胸前時,
洪水呵,在我的唇邊氾濫。

洪水久已在停息了,
但我還沒有走到白地,
便是我如從白地歸來時,

－ 209 －

愛呵！我能再看見你？

我有時伏着窗沿，
玻璃中我望着你的倩影，
一個透明的影呵，
在薄冰上輕輕地移動。

你於是進來了，
我開始給你唱歌，
你爲什麼喜歡牠們呵？
可惜我那時未曾問過！

我只知道儘情地唱呵，
因爲只有那是我的所能，
可是你也未曾問過我那一
　　個秘密，
我在唱着呵，爲一個女神！

是一個女神，
或者是一個妖精？
是我在故事中聽來的那個，

一個狐仙變成的美人。

我還有什麼疑惑，
你是那樣狐媚？
狐仙變不過牠的尾巴，
一條長辮呵，常拖着在你的肩
　　上。

那是一個神仙世界吧，
我那時曾經住過在裏邊，
我在彼一個神仙愛了，
我自已如何能不是個神仙？

時光都已消滅了，
只剩着無絃在我的口唇，
時光雖已消逝了，
無絃上我收積着不逝的聲
　　音。
我能唱更美更美的歌，
天使們聽了也休想賡和，
但是美人兒早已消逝了，

默默的歌者呵！他還唱給
　　誰個？

天地便長此休閉了嗎，
沒有人也沒有聲音？
但如我能從白地歸來時，
"親愛的姐姐呀！"我能否
　　再這樣叫你一聲？

你的身段細而長，
像柳枝垂在湖邊，
微風在枝上瑟瑟地移動時，
輕捷的你呵，像一條白蛇溜
　　過了草上。

但如在炎熱的夏午時，
清涼的陰影便遮蔽着我，
飛鳶在空中畫着牠期待的
　　圓，
你之外，可憐的小鵝呵，向
　　那裏藏躲？

— 212 —

我正是一隻可憐的小鷄，
陰影變做了翅膀把我遮蔽，
但你為什麼不讓我招呼牠
　們同來呵，
那些流浪的小鷄們，正都是
　我的弟弟？

所有的色澤都殘褪了，
只剩有蒼灰呵，莫是依徒，
但如我從白地歸來時，
我可能二次變做個小兒？

是呵，我正是一隻小鷄在你
　的懷中流浪，
陰影中響動處投下了一頭
　飛鳶，
牠吃盡了我的血，吃盡了
　我的肉，
被遺棄的骸骨，便永留在
　天邊。

— 213 —

昏醉呵，我已經昏醉過了，
昏醉在太早的太濃的酒裏，
請醒呵，我也曾清醒過了，
清醒時，我自己正像是一
　　隻空杯。

從暮雲深處，我望着我的
家鄉，家鄉中能否有翅飛
　　來，
如我能從白地再歸來時，
親愛的姐姐呵！我可能投
入你處女的胸懷?

13

我散步，
在橋邊，
在傍晚的秋天。

向着遠處，
我沈想，
向蟬聲遺失在的那邊。

金色的水波，
金色的夕陽，
金色的華裝。

金色的蟬聲顫動着，
響入了水中，
又響入天上。

在沈想的水面下，
你的名字，
你的容顏。

我沈想，
想入了水中，
又想入天上。

14

我們躺着在草上，
我摘了一支綠葉插在你的
　胸前，
須臾呵變了，
我看見一條花蛇蟠在你的
　身上。

墓塚凄清，
石碑上刻着你的芳名，
須臾呵變了，
我面前走出了一個美人。

白雲深鎖，
山頭上失陷了你我，
須臾呵變了，
白雲在你我的頭上深鎖。

人影遙遙，
我望着人影緊跑，
須臾呵變了，

背後傳來了你的竊笑。

凝　望

刹 那 的 心 象

在一厘大的古城裏，
酣睡着許多許多的生命，
生命也偶然做着好的與不
　　好的夢，
他們滿足在他們的夢裏。

在這裏是無分於黑夜與白
　　天，
也無分於今來與古往，
某個老人對我說:
這裏從有生命以來便都失
　　陷在夢裏了。

只有陳死的軀體狼籍着，

— 218 —

狼籍在赤贫的荒野上，
晨風吻着他們的眉稍而微
　　嘆，
夏雨撫着他們的灰白的頰
　　而流涕。

軀體們却沒有一些兒聲息，
因爲他們滿足在他的夢裏
　　了。
只有偶然的睫毛或脚指的
　　顫動，
知道他們有異於死人。

自然在他們的上面瞑伏着，
時間急矢般從身傍掠過去，
他們却只是不動地躺着，
眩耀地在偶然的或極微動
　　中創造他們的自傳與歷
　　史。

在這座城的周圍，

還漫散着許多許多的小城，
同樣的軀體陳列在同樣的
　　荒野上
都在模倣着做着城裏的夢。

那怕是極微弱的哭聲吧，
在外面的空氣裏總算是刻
　　出一點新的痕印了，
而他們却沈默着，
沈默到連呼吸都聽不見了。

這夢能够醒來嗎？
誰又能够知道呢，
除了夢中的人，
除了夢中的人自己去醒？

心 的 世 界

我回望着，
在時間的浪裏，
我不斷地跳過去時，

所踏下的脚印，
及脚印上所留的他們的爪
　痕，
我爲着死去的歷史而流淚。

新鮮同樣的爪痕，
同樣地留在我的心裏，
我撫摩着我的心；
我聽見了心的呱呱的嗁哭。

在我的心裏
閃出了一點光的影子，
我無心把捉，
讓他自由地飛去。

在影的忽明忽滅裏，
將要有新的光，
我的心將要變成一顆星，
我不說謊話。

在我的心的光裏，

將要現出一個新的世界，
也許仍是忽就忽明的吧？
然此影及影以外的卻長久
　　的多了。

我將要携帶着他們，
同住在我的心裏。
雖就是敵人也這樣的嗎？
是的，在新的世界是無分
　　於朋友與敵人的。
在他們銳敏的神經沒有感
　　到疲倦之前，
我要盡量地饗他們以我的
　　華宴。

那時，我將要在暗中瀧淚：
我不是在欺騙他們呢？
我的盛筵不是用了已死者
　　的腐血和未生者的鮮乳
　　所做成的嗎？

— 222 —

但是,他們將要歡樂着,
我還需要什麼呢?

他們也許有悲哀的時候,
假如看見我心上的傷痕,
由他們所抓下的,
他們將要握住我的手,
熱淚便會氾濫了我們的手
　　心。

被 雨 浸 濕 了 的

銀色的波動,
陡立地,
鏗鏘地,
映着凄迷的眼,
透視一切,
濕的空氣中
流出腐朽的酸辛。

軟而鬆,

在空中，
連影也沒有，
反映着
不動，不動，
一面白癡的鏡。

從深處
吐出絲絲的游雲，
無質的液
滲沒着，
溶化了我心。

繩何處？
鍊何處？
不縈的風箏，
沈落入自己的游蹤。

噎氣地抽咽，
聲帶也快要斷了，
悲楚永沒有止息，
來自何處？

— 224 —

人間久無此清曲!

一　歌

鹹的蟬聲
從枝頭叫起,
我心顫抖,
刻骨的淒楚,
說呵
向何處?

熱已飛盡,
只剩鐵似的冰天
鎖壓我胸,
沈悶欲鳴,
安得有不息的喉管
為人間吹遍悲風?

在飄渺的無際,
似聽見有足音振起,
須臾便沈寂了,

餓死的猛鷹
欲動復生，
使我焦急而踟躕。

當孤立的星子
在黑的高空閃耀時，
我看見我的影身，
明珠移植在我的心裏，
我看着我的星，
我想着牠所有的東西。

海　　上

是海女的幽鳴？
是戰之神在我的夢
　中降臨？
在所有的聲音響處，
我與船在無阻地飛
　行。

海水，

— 226 —

空氣，
與天空，
我行着在牠們的當中。

憑着鐵欄，
我望着——
我想着烏有，
望着無垠。

半輪月，
遙依着我的頭頂，
白波下，
我尋不見她的踪影。

倦了，
灰色的
散漫着
你零落的星們。

我 凝 望 着

樹葉在空中飛動，
我凝望着，
但我望不見那風，
綠的樹葉與天青，
我凝望着他們。

一個新的時代來了，
在那裏展開了一座戰場，
我凝望着？
血在空中飛動，
我看得清他們的模樣。

一個勇士跑着在前面，
他像死的自身去追趕那死，
五十個壯士隨在他的後面，
我凝望着，
像一陣狂飆在那裏擁起。

— 228 —

於是那個最前者倒了，
但他却正像生的歡躍，
那些後者便從他身上跳過
　　去，
我凝望着，
他們都正像生的歡躍。

天變成金色的紅，
像有一萬顆太陽掛在空中，
他們在血上歡躍地跳去，
我凝望着，
他們變成金色的紅。

於是五十個壯士都相繼倒
　　了，
正像在五步遠他們選擇定
　　他們的距離，
我凝望着，
正像是一座華美的樓倒了，
他們是五十一個金色的階
　　梯。

— 229 —

樹葉在空中飛勁，
我凝望着，
但我望不見那風，
綠的樹葉與天青，
我凝望着他們。

斷　　曲

天是雲樣地黯淡，
牠只像一池污水，
罩着在我的頭上，
牠在述說牠的光的謊語，

你多情的星們呵，
你不怕你們的施與的浪用
　嗎？
施與給那些白相者。
施與給那些不勞而食的人
　們？

— 230 —

你大力者呵，
誰能夠數給我星子看呢？
那在密密私語的，
誰能夠知道牠們的意義呢？

在混亂中，
在嬸樂中，
在嫉恨中，
在卑怯中，
在白相中，
在空壤中，
你們勇敢地，無言地死了，

黃　昏

黃　昏

一　人　登　場

　　為什麼一個人我都看不見呢?我的 A 剛已走了,我的 B 還沒有來。

　　A 是屬於白日的,但現在白日已經去了。B 是屬於黑夜的,但現在黑夜還沒有來。我現在所有的,只是這一個黃昏,但黃昏,他又什麼都沒有。

　　我覺着發熱,我又覺着發冷。我過着夏天,我又過着秋天。這是一個什麼黃昏呵,我應該給他以什麼名字?

　　在一點鐘前,我曾是世界上一個最幸福的人:我有我的愛,有我的康健,有我的一切. 在一點鐘後,我會是一個世界上最幸福的人:我有我的愛,有我的康健,有我的一切。但現在,我是什麼都失却了。

　　A曾說:我愛你的白日! B曾說:我愛你的黑夜! 但是,我的黃昏,誰是愛我的黃昏的呢?

　　我的頭在說話,但我聽不出他在說着什麼。我的血在跑馬,我自己便是他的跑馬場。

我什麼都看不見了,我的眼睛也變成了黃昏。

這是一個鐵鑄的世界,我將沒有衝出去的希望了嗎?呵——我的頭痛!我的頭痛!

現在是六點三十分鐘,再待三十分鐘,我便要復原了。阿,我的B,時間在你,是如何慳吝呵!

阿,我的A,當太陽捨地而去的時候,你為什麼也捨我而去呢。

我的月亮,你還不上來嗎?

阿,可詛咒的黃昏!這裏什麼都不會有了!

狂　飈

人物　一個老人
地點　沙漠中
時間　狂飈的日子

蒼老呵!不可忍耐的蒼老呵!

我的熱都那裏去了?(他搯著胸膛。)　我的春都那裏去了?(他望著天空。)

今天的風很大,這是最合適我的一個日子!猛省今天不便是狂飈時代的最後的日子嗎?我的末運不是已經到了嗎?看呵!那邈的春,那遼遠的,那似乎有什麼味道輸送過來的地方!(猛省他望着遠處,好久,好久。)

什麼都沒有!什麼都不會有!

孩子們都那裏去了?為什麼一個世界只有一個老人?我恍惚聽見呱呱的聲音。不然,那是吱吱的聲音。不然,那是——那是我的夢!我想變做一個孩子,一個最小的孩子!

世界多麼豐富呵,當他只要有一個最小的孩子的時候!

我是最小的孩子!我是最小的孩子!我是最小的孩子!(他發狂着,沈默着,好久,好久。)

我現在真的要走了。一分鐘的居留在我是一部冗長的歷史。那焦急的風,不便是給我催行的警號嗎?

吹呵。吹呵,我的風!我無時不願你成為最後的一次!

我現在真的要走了。到世界的別一處去呢?還是到別一處的世界去呢?

你們有歡迎一個蒼白的老人去的地方嗎? (他望着空間。)

這裏沒有一點熱,因此我便很快地變成一個蒼老者!

— 234 —

我的熱都那裏去了?你們有有熱的地方嗎?（他望着空間,好久,好久。）

冷呵!冷呵!這是冰!這是冰!這是冰!（他撫摩着他的面頰。）

現在是一個結冰時代,他來代替了狂飈時代,而且代替了那當來的春。

這便是我所望着的嗎?那報告我的,便是這樣的味道嗎?

連聲音都凍住了嗎?

多麼可怕的黑暗!我的手呢!我的手呢?我的手呢?（他的手痙攣着,漸漸顯出像摸索的姿勢。）

那裏開着的不是一朵花嗎？我有生以來還沒有看見過那樣美麗的花!但是,我現在要走了!（囈語下去。）

那不是一朵花!那不是一朵花!那不是一朵花!

我的孩子來了。我的親愛的未來?讓我接吻我自巳!

那是我的父親！是我久死的父親!是我新死的父親!

我將要走進去了。那能够不是天國嗎？那莊嚴的門,那以音樂作檻,在黃鶯的叫中,在孔雀的尾巴的舒展中開着的門但是——

— 235 —

我怎麼還沒有走呢?我怎麼還沒有走呢? 我怎麼還沒有走呢?我怎麼還沒有走呢? 他睜大著眼睛,好久,好久。)

一個世只有一個老人!一個沒有妻子,沒有孩子,沒有朋友,沒有時代沒有希望的老人! (他突然清醒,)

最最的狂飆來了——

我要走去—— (他倒下。)　　　　　　　(閉慕)

永 久 的 愛

人物—— 丈夫,妻子。

丈夫　我如何幸福呵!

妻子　我愛你!我愛你!

丈夫　今天是我到地球上來的第一個日子。

妻子　我愛你!我愛你!

丈夫　那說話的是誰呵?我所住在着的什麼地方?

妻子　我愛你!我愛你!

丈夫　我今天纔明白了人的價值，我今天真的意
　　　做人了

妻子　我愛你!我愛你!

丈夫　我的五十年的時光都白過了，假如我今天
　　　得不到你。

— 236 —

妻子　我愛你！我愛你！

丈夫　那向着我說話的不是一隻最聰明的畫眉子
　　　嗎?你再給我叫一次你所叫過的！

妻子　我愛你！我愛你！

丈夫　我要死了，因爲的生命已經走到他的絕頂。

妻子　我愛你！我愛你！

擲一

你塊大的死城呵！在你的失陷之下竄伏了十年的
我,那個最可愛的我,什麼時候纔是他的凱旋的日子呢?

我攜着我的少年，美的希望，曾經驅赴過一個名
邦。我捨棄了我的家庭,我的傳說,我的榮譽,我的和平。
但是,那些被你斐剝而剩餘的空虛,你曾以何物給他們
以補充呢,你個偉大的欺騙者?

在你的最富麗的庭院，我殊不願以一晚作我的流
連,而我却斷送了我的長久的歷史於糞土之中。

我所訪尋的是什麼呵？我只能以此莫決的疑謎追
問我自己。

噓!荒漠中的獵人,冰山的探險者呵！

我能夠殺死你不顫動一下指尖,但是,那個善逃者

— 237 —

何以不敢露出他的半面呢?

曉!你鬼魅,你無形者!

我將走遍你的角落,去紀念我的傷痕,那些太多的遺跡呵!

誰將克復此荒都,當我一旦掉頭而去之後? 誰將是我的繼起者?

嗚呼噫吁兮,我將何之!?

一九二六,三,一四,晚八。

一 個 神 密

在我的面前,立着一座小山,像我的拳可以握住的那樣大。但有時,牠高大,使我望不見牠的邊際。

我們的距離,決不會超過十步遠。但我自最初以來,走到現在,沒有能移動得一分。由分而寸, 由寸而尺,那是多麼長的路程呵!

在牠的裏邊,藏著我所需要的一切。我需要牠們,甚於需要我自己。

我疑惑,我被什麼束縛住了嗎? 我竭力伸出我的,膊,在空中畫一個大圜。但我仍然不能有一點轉動。

— 238 —

　　當太陽站在牠的頭上時，眼中放火。我想：我不可以也那樣做嗎？

　　當微風從牠身邊費過時，泉紋蕩漾。我想：我不可以也那樣做嗎？

　　當我望着牠悠然神往的時候，我想：我不可以也那樣做嗎？

　　我終於向着牠流下眼淚。但我只得到冷的沈默的報酬。

　　我什麼時候曾有過你那樣的朋友呢？—— 但牠只給我以冷的沈默的報酬。

　　我願意一切都獻給你，我所有的一切！—— 但牠只以冷的沈默的報酬。

　　我終於二次向牠流下眼淚。但我只得到冷的沈默的報酬。

我的失敗增長了我對於牠的驚奇。我於是終於叫牠做一個神祕了。

　　—— 239 ——

讓我祝福我自己:我的小山!

給 X

X：

我今天回到此地──何地你能不知道嗎?── 我看見我往日的幻想了。我是如何地愛過這些幻想，我那時曾棄絕過我的--切計算,這是誰的力量呵?現在,我是看見--具屍身,但牠有美麗的臉。

我已經發過誓不再同你通信,這不是我不願意,而是我──不願意,我還有什麼可說呢?你時常在把握着我當我的心在最自由的時候,我都不能脫掉你的束縛。我時常想跪在你的脚下叫道:『我的主人!』但我沒有那幸福,我已被我的主人放棄了!唉,我的主人! 當我這樣叫着的現在,我只疑惑我是向着空中!

我想,我現在並不是給你寫信,因爲我不敢承認我現在是有寫信的能力。我畫着,我畫着,我想,現在只是有一支筆驅遣着我畫那連他也並不要畫的紋縷。至於,你看不見,又有什麼關係呢。但我在這裏,不能不先向你提出一個鄭重的請求:你無論如何,不要給看我的信。我覺着嘲笑的防禦,永遠不會有過慮的時候。

— 240 —

　　我先同你談談 B 好嗎?我實在不認識,B 按理我是應該談到 B 的。但世間有一種人,不認識也會使不高興他,B 之於我便是這種人中之一。為什麼? 我說不出。總之,當我想到你的時候,我沒有法子把 B 從你的身旁趕去,我還有什麼可說呢?

　　我,同你幾成永別的你——真的嗎? 或者,三十年後,我們披散着我們的白髮在此地作最後的相遇的時候,你還能裝着不認識我嗎?我不敢想及老年,我覺着那裏藏着無限的神秘。

　　——而 B 却站在你的身旁,而我——我還有什麼可說呢?

　　我永遠沒有這樣想過:我忽然變成了 B。這對於你是一種譴責,然而 B 能安然地站在你身旁,我不明白是什麼道理。

　　有一次,我在 S 街上走着，我看見你正在向着我這邊走,忽然你跑進路傍的一處小院子裏去了。我當時,以為你因為看見我,所以躲過我去。這是幾年前的事了。的確,你時常在躲着我,這不是我們不能相遇的緣故嗎?我真不知道我是什麼一種危險物,會那樣使你害怕。

　　我在夢中看見你時,你也常是那樣遙遙地,像我在望着天上的星。

我的星！你能夠應許我這樣叫你一次嗎？如其──
請你停在我的懷中，我是你的天空呀！

我曾看見過許多好女子，──我有膽量說及女子
嗎？女子，她時常是那樣遙遙地，使我望見時分不出形
象。我──就讓我叫她們做女子罷！這有多麼奇怪，我每
逢看見一個女子時，我所想起的總是你。

我願意我的話不至於成了我的口供。我驕傲一世，
我不能忍受任何的屈辱？但你如肯把這些藏在你的心
頭時，我願意把我的一切口供都招認給你。你之外，誰還
配做我的審判者呢？

噫，我友！

噫，我友！你在終日望我嗎？你所望的是何樣的我，
我如何知道，我曾以假象騙你嗎，我曾葬你於徒勞的空
望嗎？我如何知道！我雖竭力想把我呈獻在你的面前我
如何有此能力？

噫，我友！當星子而亦見我而閉其迷離之眼時，而你
獨能賜我以永久的一望，我如何欣幸！然不幸而我乃非
你所望之人時，我又如何其悽楚！

噫，我友！你已是疲而肚飢了嗎？，我已足疲而肚飢

了，我將如何負你登大荒之山而求最後之一飽：

噫，我友！我如何能示你以赤貧之手而自呼曰：此中有珠？珠嗎？是否還在世間？

噫，我友！我之眼已爲黑暗所覆被，至不能自見其光。然我已顯示我之黑暗矣！

噫，我友！你所已捨棄者，我乃鄭之重之而獻於大衆，自請恕我固無歹意也！

噫，我友！我常於無人處祝福你同你的愛！然這不怕被我的悲哀所濁化了嗎？我的孤獨的心實不配做你們的祝者呵！

噫，我友！你不安於故地，我也不安於故地了！然地球只此一塊，我們將於何處去發見我們的新星？

噫，我友！我不但不安於故地，而且已不安於故人了，人者，豈非空中之星嗎？我將復原而爲獸，然獸中豈無獨角者嗎？噫，我友？你能以你的永久之望，復縈於此獸否？

噫，我友！我將取而珍藏你所賜，我將棄而反於其故主？兩者我都不安時，我如何能取捨而任擇其一？

噫，我友！我已無所思，因我已無思的能力了！然我豈能無動的能力嗎？

噫，我友！哀泣在我的心裏，然我豈能墮一滴眼淚以

— 243 —

自示其弱墮淚的人曾有之,然我今已爲獸矣!

噫,我友!我的小樓將迎你作新主人,你將何恃而入據?我已將彼放逐了!

噫,我友!讓我們攜手而投彼深山大澤中,而各試其粟暴之身手,好嗎?否則,我們將別了!

噫,我友!我願獨行而獨逝,噫,我們別了!

黎　明

那在天空響着的是什麼開音呵?

我今早纔登上這山的頂巔!我今早纔登上這人羣的頂巔,

空氣流動呵!自由地流動呵!

那在幾乎望不見的蒼茫的下面像帶着什麼神祕隱藏着在的不是太陽嗎?哦,牠一定是帶着偉大的意義!

只是這樣蒼茫!一切都這樣蒼茫! 一切都這樣灰白色分不出明暗!

連星們都把她們的俊俏的眼睛閉了。星們呵,你們是怕看見黑暗嗎?你們是怕看見光明嗎?但是,白日快要到了。

空氣!流動呵!你帶着我的聲音告訴給全世界:白日

－－ 244 －－

快要到了。

只是這樣灰白色！我望不見我的隣山！隣人們，你們都還沒有醒來嗎？

我今早纔算逃出了那裏，那被黑夜封鎖着的！

那在下邊，那在擁擠着的，那在呻吟着的——那是一個噩夢！

那在夢魔的指揮之下夜游的人們，我的兄弟們呵，我的兄弟們，你們再不會疲嗎？白日快要到了！

那是從太陽來的聲音。不然，那是從天空來的聲音。不然，那是從地底來的聲音。不然，那是我自己的心的顫動。

我的心在跳了！那在擁擠着的，那在呻吟着的，便是我自己的心！

一座戰場，建立在我的心上，多麼無意識的，怪異的，渾亂的衝突呵！

喂，我的隣山！你爲什麼痴立着像一尊石像？

鐘聲還沒有響嗎？那可以吞沒了一切啾啼的洪亮的聲音，那預示太陽之將升的？

弱者倒在我的脚下。站起來呵，去反抗那些強者！

強者也將要倒了。他們將要永遠站不起來。哦，究竟誰是強者呢！

天是這樣的昏暗！天是這樣的昏暗！地是這樣的昏
暗！

太陽！

太陽！

反　　應

　　從鄉間來的人大抵都喜歡都市，我現在却正想念着鄉間。我並不以爲鄉間有多麼好，我只覺得那裏的空氣比較多些，而人的花樣比較少罷了。然而B反對我的話，因爲他剛從家裏來的緣故。於是 H便作公平之論曰：大抵人在都市時討厭都市，一到鄉間便又覺得都市好了。這話大概是對的。因此，人們便永遠找不到一個合適的居留地。

　　人是這樣一種東西，不相信他的眼睛，而相信他的幻想，這是由於幻想可以讓他自由的緣故嗎？什麼是壞的呢？便是那些他所看見的。什麼是好的呢？便是那些他所想着的。什麼是壞的呢？便是那些他所想着而已看見的。什麼是好的呢？便是那些他所見過而又想着的。人是這樣一個無理性的東西。也許只是我是這樣一個東西嗎？

　　就藝術上說，以爲人最了不得的，要算是羅曼主義者了，因爲他們最相信他們所幻想的緣故。所以他們也最不相信他們所看見的,所以他們反抗現實。

人時常在想着自由與幸福,然而人永遠得不到自由與幸福。一到得到時,牠們便不復是自由與幸福了。自由與幸福,以及一切人們所贊美的東西,都是空想中的永久的花。

失望於文明的人,掉回頭來讚美野蠻去了。然而野蠻便正是他所看不見而想着的;否則,那文明不便是人類的野蠻的產物嗎? 野蠻,在讚美野蠻的人,是一個理想,是一個更高的文明。

我也未嘗不希望有個拿破崙在中國出現;然到他出現時,我便成為他的反抗者中之一個了。我們為什麼讚美託爾斯泰,尼采呢? 這只是因為中國還沒有託爾斯泰同尼采的緣故。我不能滿意過去的人,然而我常在讚美一些歐洲的過去的人,不自覺的緣故,便是我住在中國吧。

我常不滿足我的過去與現在,我也不滿足別人的過去與現在,我常想念未來。然而未來,在現在,是空的;到未來,又已變成過去了。所以我,其實是什麼也沒有。

為什麼人的意見那麼同我不一樣呢? 是我錯了嗎? 是我陷到迷惑中去了嗎? 我好像沒有清醒過,然迷惑便

— 248 —

是錯嗎?清醒的是誰呢?

我曾做過偵探嗎?有人在疑惑我了。不高興我的人且想借此把我毀滅掉。然而,他們是對的,我是錯的,所以他們的話被探用了,我的話只能對自己複述。

世間有大部分的眞象,爲我們在書上沒有見過的,且爲人相傳不應該破露的,當眞我們都應該假裝瞎子不去看牠嗎?否則,眞象的說明,有時竟成爲卑劣的行爲了。我有時倒覺着卑劣還較合適於我,我不願意苟同於人們的清高。我白天想着天上人間,黑夜却做着地獄的夢,然夢是我的眞的行爲。

也許會有一天,一切人都站在一面,只剩我同我自己站在那反對的別一面嗎?那時,我將要如何奮勇地作戰,然而我已感到荒涼了!所以人仍然是社會的動物。

反抗社會的人是最需要社會的人。和平論者因其無關重要而想隨便敷衍下去。

人的衝突也許只是理想和現實的衝突嗎?也許只是小屋和大街的衝突嗎?

小屋裏所想到的,無論如何想適合於大街的情形,終於不能夠呵!說的永遠不能夠適合於做的嗎?我應該離開我的小屋而走到大街上去嗎?

— 249 --

　　我再也不相信我是比別人好的了。如其是那樣，豈不是人類中竟有兩種絕不相同的東西，一種是好人，一種是壞人嗎？我走到大街上時，是不是還是在小屋裏想着的我？人的衝突也許只是小屋裏的我和大街上的我的衝突嗎？

　　然而，什麼是小屋？什麼是大街？什麼是想？什麼是做？行為派心理學說：只有刺激，只有反應。我確乎是機械嗎？機械如何能知道呢？

　　我在小屋裏想着的是反對大街的，我走出大街時，把想也帶了出去，所以我仍然反對大街。然則，我從此永遠在大街上，我便會認識大街嗎？我已經在小屋裏想過好多年了！

　　人沒有認識的能力，人只有被動的反應。從前的哲學家把人看得太理想了。哲學從來便是句謊話。

　　我讀過書上的話，在實人生上一點也找不到什麼。我讀過理想的書，描寫人類的愛的書，但我一翻開人生的活葉時，便一齊都變了顏色。我不能夠從實人生的接觸中遇見我所要見的東西。我所看見的常是令我失望的。當我寫文章時，我很想寫出些同情的東西，然觸到筆尖的只是憤怒，憤怒。我知道有人在那裏罵我目空一切，罵我刻毒,然我豈不知道蔑視人,寬容是好的呢?當我窮起來的時候,社會向我致意了:討吃子,無聊。當我接受到這些禮物而沒有欣然色喜的能力的時候,我將如何把我的同情寫在紙上呢?

曾有過一個朋友向我的別一個朋友建議:他那樣窮的人,你還不趕快同他絕交了嗎?被人罵為刻毒的我,曾有過一次像這樣刻毒過嗎?我把我的好意獻給我所誠心待之的朋友,他怒了,說我在蔑視他。我曾經這樣刻毒過嗎?

我覺得因襲思想是壞的,特殊階級是壞的,這些在人類的進化上是有極大的阻力的,我於是攻擊起他們來了。慚愧我沒有力量,還沒有見過活的血,我只可把那血寫在紙上。然而,這便做了人們罵我目空一切的根據,而且那罵我的人,又常是那些被我所攻擊的東西所壓迫的人。究竟誰是我的敵人,誰是我的朋友呢?

我如何能夠把甜的毒酒獻給人們呢?用恭維以增長他們的惰氣,用殷勤以增長他們的卑劣,用催眠歌以安息他們於不醒的睡鄉,用狡詐以玩弄他們看不見自己的面孔,這些是我所能夠做得到的嗎?

我的喜歡尼朵的朋友沒有權力去讀尼朵,想當兵的朋友沒有路費去當兵,留學的不能到外國去。生活所

— 251 —

給與他們的，只是廢棄，煩悶，吐血，天亡。而別一方面，便是那些擁有特權而苟暇的人們，猶且我攻擊他們時，我便成為目空一切了！

不幸者們幫助了幸福者們去除滅反抗者，不幸者於是永不幸，幸福者永遠幸福了，這是社會的致命傷！

我們中國不少的是平民起家的人，這在社會上還被視為最高的榮譽呢！我們一看那些過去的俄國人，那些從貴族之家跑出來而把生命投在危險中，而去為平民作戰的人們時，我們當起一種什麼感想呵？

有好久時候，我一點也不能夠明白思想之有階級性，但到近來，我覺得那是對的了。一天，我想到進工廠去，我那時便像真的坐在工廠裏了。我想像在那裏看着我所看見過的，一切便都變了顏色。比如，唐努遒的小說是我所喜歡看的，我稱之為愛的珍珠，但那時想來，只有無聊，只有醜的描寫。在近代的精神上有特殊發展的文學作品，我更也不能夠找出幾部是好的來了。而且我不承認克魯泡特金是一個平民革命者，他到最後，還只是一個有平民思想過平民生活的貴族，查特圖斯特拉，我簡直不能夠覺得牠有什麼意義。但是，我對於中國那些提倡階級鬥爭的人們，却仍然是不能夠認識。我仍然以

— 252 —

為他們只是一些士人，好的是愛國的士人，壞的便只是些投機的士人了。我那時又想起一個馬克司派的朋友同我的談話。他說：只要能夠為社會做事，需要賭博便可以賭博，需要逛窰子便可以逛窰子，需要娶姨太太便可以娶姨太太。我這時，仍然一點也找不出他的話有什麼真理在着。我仍然以為列寧只是一個馬克司理論者，俄國國民革命實行者。我覺得無產階級革命並沒有實現過，並沒有從外面伸進過一隻手去救我們工人，這是只能夠由我們自己做出來的。

然而我現在仍然沒有了做工人，雖然因為有許多的反感，然最大的原因，怕還是我只是一個從中產家庭裏邊長大的士人吧。

我如從此不到工廠裏去，我的思想便又要回到舊路上去了，人是如何一個機械的動物呵！

我現在拿起唐努遒，又覺得很有意思了，雖然我思想上仍在反對他。有一天，我會變成一個頹廢的享樂者嗎？這——真是不堪設想呵！

中國是這樣一個東西，是一個從一世紀到二十世紀平面鋪開的東西。這裏有古代的思想和制度，有部落的戰爭同土匪，有近代的各樣新名詞，畢竟是因為遭遇

－·253－

了二十紀,所以也偶然的有一點新的光。這種種都聚合在一塊,真假不分地混和在一塊,便做成這樣混亂使人們不容易明白,於是便越混亂下去了。

這混亂如何能夠清理一點呢?讓我們切碎他們的心吧!也許最要緊的工作便是民族心理的解剖嗎?這工作已經有人做過一些了,然而人們都不明白。便是那些貌似明白了的,如我們一經把他那真象說明白了,他會給我們顯露出什麼來呵?

中國人不是沒有聰明,而是沒有人格。我的朋友說了。

"是的呀!中國的腐敗,是腐敗在國民精神上。不把這內部的腐敗弄出來,一切新的東西都會變了顏色。我們每天所罵的,不是都可用這來說明的嗎?"我說了。

"讓我們解剖民族心理吧!我們雖然不能立刻做得出民族心理的科學,然而我們可以先做些批評,或者感想,甚至於亂嚷!"

人們不高興看自己的臉,無論你把鏡子做得如何亮,那又應該怎樣辦呢?民族心理的解剖,如終於被那民族心理所拒絕時,那應該怎樣辦呢?

都想在那裏做軍閥,所以軍閥們便不能夠有一個

─ 254 ─

領袖了。這結果，只是軍閥的加多。

我不能夠不懷疑民團的提倡，當真，民團都變成軍隊那樣時，這不是在南與北戰，省與省戰，一省之內又張與李戰之外，又添上縣與縣戰，村與村戰嗎？我們如何能夠想像會有一個領袖那樣複雜的民團的英雄出來呵？

人類為什麼喜歡造作出一些沒有的東西來欺騙自己，安慰自己呢？中國人造出神，歐洲人造出上帝，然而人永遠沒有看見過神或上帝。後世人們漸漸聰明了，知道那些是可笑的迷信；然而剛掉開了神或上帝，接着便又造出人類的愛呀，同情呀，人道呀種種變相的神或上帝去代替那原來的神或上帝。人畢竟是很聰明的，他們知道可笑的迷信欺騙不了自己時，立刻便會造出一些容易欺騙自己的東西來。然而，人道呀，人類的愛呀，誰曾看見過呢？那些不仍然是些沒有的東西，不仍然是些可笑的迷信嗎？如其人類能夠相愛，真有同情，他們最初生下來時便該是那樣，社會決不會鬧着，鬧着，一直鬧到現在了。人們總希望人類忽然會好起來的，板凳飛到天上去了，多麼可笑的幻想呵！

人們都喜歡幻想，所以上帝便出現了 而且上帝時常又都是好的，雖然他的名目可以換至無數，什麼是真

— 255 —

理呢？你有你的真理，他有他的真理，究竟誰的是真理呢？不然！真理只是一種幻想，同上帝一樣，人們造作出來以欺騙自己的。

人有吃飯的權利呵！這一句話，對於餓肚的人也適用，對於有錢的人也適用，這不應該是真理了嗎？然而有錢的人會以為這是句可笑的話，然而餓肚的人不敢去搶飯吃，然而像兒會自己以為是犯罪。"我的錢應該一天比一天多，"這是有錢的人的真理呵。至於那些餓肚的人呢，他們的真理是什麼呢？"世間終有善心人，餓死的是善心人，"大概就是這些個吧！是呀！有錢的也是善心人，餓死的也是善心人，人人都是善心人，你還不應該餓死嗎？

美的先生們呵！你向着一些窮光棍大講其美的性交時，你如何能說你所講的是真理呢？

為什麼我今天只在想法還我的債？河沿上一家門口蹲着的那個人不害冷嗎？他的肚子響了沒有？世間有多少是這樣的人？有債可還，我終是一個舒服的人；舒服的人終是在舒服的時候想他自己的舒服的事！人類的愛藏到什麼地方去了？真理！你出來呵！

一天，我想起寬容來，我想了："當我能夠寬容的時

— 256 —

候我是主張寬容的，當我不能夠寬容的時候我是反對寬容的。"我以爲這怕是對的——我又在欺騙自己嗎？

是呀！當我餓起肚子來的時候，我能夠同那些有錢的人們寬容嗎？當有人把刀子放在我的頭上的時候，我能夠同我的敵人寬容嗎？

寬容是什麼呢？那是一個在平安的境遇裏過活的人纔能有的一種心理狀態。而這平安的境遇又如何不可多得呵！

我當爲我着急去呢，還是寬容別人去呢？我當爲那些着急的人們着急去呢，還是寬容那些政客，學者去呢？

我當一逕走上我的路去呢，還是停下來表示我的寬容去呢？

我當寬容我自己呢，還是攻擊我自己呢？

人是寬容的動物呢？還是寬容只是人的幻想呢？

就現在說，我對於寫字是寬容的，因爲我現在能夠寫字，但有時，我或許要根本反對那文字事業了。

接到一個朋友的信，展開是一些詩樣的文字，現在抄幾段在下面——

（一）

咬人之臭蟲哂

最恨臭蟲

臭蟲咬人哂

實睡不著

前數月夜哂

都是如此

我心實恨哂

以至入骨

（二）

過了好久哂

沒有咬我

何以今晚哂

特來顧余哪

我真莫明其妙哂

臭蟲何自來

點燈來看哂

臭蟲跑了

惟剩幾處紅格蹟米哂

外並沒何

癢哂癢哂

奈之不何

這樣一共有八段，下面的無須抄了。另外有一張紙寫着，說他接到這樣一件東西，疑是我或我的朋友們寄的。並且十二分感謝我們的好意。

只是這樣一件事情：我，我的朋友，我的朋友們，我們——我應該怎樣說呢？

我常覺着我常在被謠言和誤會包圍着，我到了那裏，謠言和誤會也便跟我到那裏。漸漸習慣了，也便不以為異。反覺得沒有這些，倒還要寂寞些，幾乎會忘掉自己是在社會上的。又覺着，大概不只我一個人是這樣，同我一樣住在社會上的人，想必都會同我享受到一樣的禮遇，現在越發證實了。社會是一個謠言和誤會的製造所。

這一個朋友是和我的別一個或者兩個朋友打過筆墨官司的。這事我知道，但我沒有注意牠。現在，我知道，他以為同他打官司的不只是我的別一兩個朋友，而是我也在內，所以來信說我們。也許那別一方面的朋友也未必不疑惑和他們打官司的不只是我的這一個朋友，而是我也在內；而也是我們，但這我無從證實。

為什麼這東西會成了我自己做的呢？我看我自己的詩，那樣可笑的，那樣奇怪的東西，而自己不知道。這真是又可笑又奇怪了！

我想攻擊一個人，而不做文字發表出去，而偷偷地寄這樣一些東西去，我一點也不明白這是什麼緣故。

— 259 —

第一因爲我好攻擊人，第二因爲我做過幾首詩，所以這東西便可疑是我做的了。而且又是分字體，雖然分字改用了晒字。或者，在我攻擊人的文字中用過苷蠅字樣，與這裏的臭蟲也不無關聯。這些倒都是形跡可疑，未必是我的朋友懷疑太過。

但我呢，却有時真是一個懷疑太過的人，我現在已在懷疑了。

也許這真是我寄去的嗎？不然，何以人會疑我呢？

一個人的過去的行爲，誰都不能夠記清楚，如其我說這不是我寄的，那不是等於說或者寄過而是現在記不起來了嗎？

既然寄去這一件東西，那當然有一個寄的人了。如其不是我時，那末是誰？我自己說不來，也要懷疑別人去嗎？與其懷疑別人，倒不如懷疑自己好些，這還不可以證明是我寄的嗎？

我把這些詩又拿起來看了幾次，越看越覺得同我相熟，得了，自己做的無疑了！

我攻擊過名流之類，但還沒有攻擊過朋友，然這不正是第一次嗎？

我何以要偷偷寄去呢？我得想些理由，想——算了，人的行爲又何嘗是有理由的呢？

— 260 —

那一天我喝多了酒，好像寫過些東西封在信裏，以後再沒有看見。那大概就是這些詩吧？

其實我做過的詩，現在覺得同這些都差不多，再說便是，隨便那幾首都同這些一樣，那還能不是我自己做的呢？

罵人只是罵人，而不是罵誰；做文罵人，做詩罵人，都一樣。是我做的了。

恍惚我現在寫的這些也都是在罵人，不容辯解了。

反正是我做的，連懷疑都大可不必。但是，我根本便不明白懷疑是一件什麼東西，為什麼牠有那樣大的力量，無中生有，使人辨不出真象，時常陷害我自己，並陷害我的朋友呢？我在懷疑一切之上，如何能不懷疑那懷疑呢？

我接着想起許多相類的事實來，但是——我現在懶怠寫了！

什麼是文字生涯？這是一句很難回答的問話。

白紙上畫上黑的條紋，用一分郵票寄了出去，過幾天，在一張報紙上剪下來粘在另一張白紙上，積久之後，又印成一個本子。這便是文字生涯嗎？

事情有時候是不說還明白一些，因為至少還不至

— 261 —

於有太多不明白。寫在紙上，反而越引出自己的和別人的糊塗。寫一千字的文章，所起的誤會常有十萬字也不能够辨明的，這便是文字生涯嗎？

我要想，故我想，這是可以說的。但是，我要寫，故我寫，便不足信了。實際上是，我要詆毀人，故我寫，無論我如何自信只是寫自己的意思，但在那不能同意於那些的人們，只以爲那是完全爲詆毀他們而寫的。這便是文字生涯嗎？

人有想的自由，因爲別人不能知道我所想的是什麼。一寫到紙上，被別人看見，自由便失却了。有人會以爲你在詆毀他，或者你在摹倣他，這便是文字生涯嗎？

人們不去看文字的意義，而只看文字的派別，其實派別是不容易說定的，一個人有一個人的派別，一篇文章有一篇文章的派別。但人們只知道紅之不同於綠，而不知道紅之所以爲紅。這便是文字生涯嗎？

做文章實在太沒有意義，然又不時要去寫，寫時覺着無聊，寫過後仍覺着無聊。這便是文字生涯嗎？

你想賣稿嗎，請準備着餓一半肚子！這便是文字生涯嗎？

別的話，現在簡直還說不到，磨刀只不過切菜而已，現在是這樣。

— 262 —

我不高興寫文字，我現在寫文字——生活便是這樣。

世間的陷阱眞是太多了，一個人隨便走路，都會掉在陷阱裏邊。你走到什麼地方，會看不見‘太公在此’呢？我嗎？我老早就知道而且決定了在陷阱中生活的了。所以陷阱的增多，在我倒成爲享樂的需要。

什麼是勝利呢？當我的採集囊中裝滿了失敗的時候，我是何勝利呵！

當我收獲到多量的痛苦而疲倦到睡眠的時候，我是如何享樂呵！

我爲什麼要討厭蚊子的叫呢？蚊子生來便只會那樣的叫，牠自己何嘗會想出較好的辦法？雖然叫得討厭，使空氣都會被討厭化了；然空氣不又本來便只是個空氣嗎？天地間有蚊子，一錯於是錯到底，天地本來便只是這樣個天地！

一面是一些到處碰頭的人，一面是無窮的陷阱，兩者組合而成爲完美的世界！讓我祝福這世界吧，一朵美麗的花，上面畫的是紅的條紋。

我每天嚷着要離北京，但我直到現在還沒有離了北京。如我到車站去時，我只是去送我的朋友。

為什麼人們都以驚奇的眼光看我們呢？這只是因為我們沒有像他們那樣死人般的規矩嗎？一句話出去，應該在空氣中震動到多麼大的圈子？走路時足應該抬幾寸高，應該一步邁多麼遠？可惜古人們沒有科學的知識，所以禮記一類的書做得太簡單，使我們欲從而無所適從。

車站上也一樣，因為他們是一樣的人。

我的朋友們走了，我所想說的話一句也沒有同他們說，我只是同他們搗亂。此後送朋友時，我不應該再喝酒了。

一個要奔波去，一個却要去隱居。然奔波是有的，隱居我却有點懷疑。

"世界不只是一個嗎?"我曾以此質問過隱居者。

"一顆心可以分開好多瓣子!"隱居者對我說。

如我們的話都對時，誰能夠去隱居呢?

其實，連心都是假的。人類沒有心。好多瓣子只是好多的反應，誰能夠去隱居呢?

兩個朋友都奔波去了，我送他們行，我何時纔能送我自己行呢?

但我到黃浦江上時，我的朋友又要放洋了。我將終是個送行者嗎？

　　狂飆的廣告登出去快有一個月了，還沒有出版，這使我們對於幾個愛好狂飆的朋友非常抱歉。開封的欲擒更是屢次來信問及狂飆，直到現在我們還不能用事實的答復以報他的好意。我覺得我們對於狂飆實在太不熱心了，實在對不住熱心的朋友。

　　不過是一百有餘頁的一個冊子，本來計算至多一個月還怕出不了版。誰知到現在，怕還得等候兩個，或者三個禮拜的時間。計算是以直線進行的，事實卻常走的是曲線，所以事實常是趕不上計算。但是我的不熱心，也許還是狂飆遲遲出版的最大的原因。

　　一面在辦一件事，一面又覺着這件事實在沒有辦的必要。我愛狂飆，然我其實是憎牠的時候還要多些。因此，本來一天可以校對了的稿子，偏要延長到兩天三天纔去校對，有時候，簡直覺着索性把牠停在印刷中，倒還痛快一些。為什麼在現代的中國去辦狂飆呢？這個疑問，我是不答上來的。雖然人們大抵討厭開倒車，然開倒車其實是適合於社會的需要的。其次，便如順風轉舵，這常是最時新的工作。這些，我們都不能辦到，於是我們便逆流而上了。對人對己，兩無益處，多麼無意義的逆流而上呵！如能沈沒下去，倒也洗雜個乾乾淨淨，然我們自己及我們以外的，誰又有那麼大的本領呢？

親愛的讀者們(?)呵！請原諒我，我不能再往下寫了，筆頭觸怒了我，我要出去了！

我到了我的朋友培良的屋裏，他在圍着被窩讀拿破崙本紀。

"林紓太糟，把拿破崙寫得一點生氣都沒有！我倒是喜歡文明書局出版那本拿破崙外傳，總還不至有太多的反感！"我說了。

培良今天很高興，他把大氅當了五元錢給了公寓四元，剩一元可以喝酒了。但他找不見那一元錢。

"你破產了！"我說。"閃光收回的錢還有，我們索性都喝了酒吧！"

培良每天想喝酒，他想把他埋在酒裏邊，我嗎？我今天同一個朋友在別一個朋友家裏吃晚飯，我本想要酒喝，但終於沒有要出口來。找了半天朋友，只找見一個，而且還同小書店生了好多氣，還不喝酒待甚？

我們喝酒去了。路上培良說："我們改天找郁達夫喝酒去好嗎？"我說："說不定，郁達夫已在以敵眼看我們了。"

─ 266 ─

　　喝了酒，我們出來在一個攤子上每人吃了一碗蕎麵條。我想起家鄉來了。我沒有再吃過比家鄉的更好的蕎麵條。這只讓高歌佔了便宜，我怕今生不能够再享那樣幸福了！

　　說着，我們到了東安市場，茶樓上已經收攤了，我們只得走到東邊平民院去。小茶館也都關了門，只剩一家說書的屋裏亮着。我們走了進去。

　　"嘮嘮嘮!"說書聲音在響。

　　"銃拍拍!"說書者的扇子的聲音在響。

　　我們走出來時，我說:"你想聽說書的聲音嗎?夜壺裏滿了尿時，把你的手杖在裏邊唿嘟幾下，再像沒有了。"

　　"這些可笑的東西，在社會上的勢力可大得了不得呢!"培良說。

　　"有勢力的永遠是那麼一類東西。"我說。

　　出了市場，我們在街上大說大笑地走着，後面有了笑的反響。我聽得那笑聲很熟，而且還聽得出那正是在笑我們的。回看，可不是東安樓上的伙計嗎?

　　"你們從那裏來的?"伙計問。

　　"我們喝酒去來着。樓上為什麼收攤那樣早?"我答了又問。

　　"九點鐘早收攤了。"伙計答。

"你到那裏去?"我又問。

"前門外逛去。一同去好嗎?"他答了又問。

"我們不高興逛,我們只會喝酒。"我答。

"只有鄭先生老實,他也不過是二十歲吧?"伙計問。

"他纔十八歲呢!"我答。

"他老實,說什麼,他只是笑!"伙計說。

"我鄙視你,我看你不甚一塊石頭!"我心裏辱罵我們的邂逅相遇的朋友。

"回見!"

"回見!"

" 他們不知道用什麼心想我們呢！這是一個問題呵!"培良幾乎有些慨乎其歎了。

於是,我們便又談起我們照例在最無聊的時候所談的話來:"我們丟掉了筆槹吧!"但仍然是沒有談出如何丟掉的方法來。結果便成爲——

我又繼續做檳榔集了。——是培良的話。

莽原上我還是做我的弦上,有時候來一段弦外餘音,或有時來一首給——,但那太無的放矢了。我們真沒有辦法,只可向空中說話。——是我的話。

人們反以爲我們在驕傲呢!

— 268 —

洪水——我明天只可向空中說話了吧？
我的洪水在氾濫呢！

弦　　上

序　　言

讓我把這支箭，射中你的心窩！不偏不倚，從你的正中，迸出鮮紅的血來！

如其你被創之後，堂堂正正地能站立起來，朋友，恭喜你，你已成為一條好漢了！

如其你沒有聲響地倒地而亡，那也沒有什麼要緊，因為這也正是我所希求的！

"順我者死，逆我者生！"暴燥的箭在未發之前如是咆哮。

躲過了箭的人不幸呵！他將在不生不死中偷度其殘生！

人是時常負有創傷的心與身的總和。如其你只願把你的軀殼養得肥胖，讓你做豬子去好了。專門預備了肉給人吃的動物時常是肥胖的，箭所無須射的動物。你可憐的豬子呵！

—270—

　　但是，我的箭，將不徘徊於估價，不復顧忌於無須。他有時，爲不肯輕於饒恕那些逃脫者，且將無的而放。

　　"放射!放射!不知其他!"張弓待發的箭如是宣誓。

｜病 中 囈 語

　　打死幾個中國人，在英日蠻人的眼中，算不了一件事情，也值得大驚小怪?

　　大驚小怪，也止於是排外而已!只就這個'外'字說，便有多麼冠冕皇堂，可以把一切罪惡藏得痕跡不露!而這個'排'字又確乎可以給中國人的義舉加以適當的罪名。

　　我們真昏透了，我們不知道這個'外'有什麼'排'的價值!

　　我們雖沒有人的力，但不是沒有人的心。如其有什麼東西對我們以非人的態度時，我們便要毫不顧忌地起來反抗，或者說是排。但我們排的不是外，而是出乎內外之外的'非人'!

　　英日的蠻人呵，如其你們不滿意我們的排時，那你們便乾脆剝下你們的鬼臉，讓我們看一看，在羞恥中抽縮的人的面皮！

中國的命運，本來無時不在風雨飄搖之中，只因人們得久了，且又是些除了自己的利害不喜歡管閒事的人們，所以表面上反像是太平無事似的。大學者們可以幽嫻貞靜地埋頭於國故，大學教授也來主張看戲逛窰子的正義。但到一有事變，則潛伏在人心裏的羞憤，也便壓迫不住地發作出來。然這有什麼用處呢？至多，也不過表示中國人還有一小部分有一點人的感情罷了！其結果，也只是流一些血，到人們疲倦的時候，一哄而散。於是，人們便又都把國放在腦後，便又沒事似的敷衍他自私的利益去了。這樣下去，非亡國不可，無論下次事變表示得如何熱烈。衝動是可以臨時叫起來的，力呢，那便非平時準備不可。中國如沒有一部分人——人多當然越好——能夠把愛國的感情時刻留在心裏，救國的責任時刻挑在肩上，則亡國嗎，是一件平淡無奇的事！

就目前而論，確實可行的，自然是經濟絕交。自己經濟不發達，而至外貨充斥，平時不去尋法補救，到事變來時，纔嚷出以圖抵制，已經是可憐透了的平庸的下策！但即此下策，也必須實行下去纔行。大家如有記性，則應該知道，抵制日貨，已經嚷過很多次了，而在到現在，還得從頭嚷起！中國無論什麼，到了臨時，非得從頭不可。如其要同英日宣戰，則現在，便須從頭練兵，從頭培養軍事人才，從頭教育愛國的國民，而毫不遲疑的敵人，早已在那裏立刻開鎗了！況且從頭，又何嘗眞的從頭過呢？從頭做起，便一定會有個落結出來，但落結在什麼地方？

戰爭是力與力的比賽，無力者呢，不戰而已敗矣！中國無時不處於敗的地位，不須戰爭而始知也。如欲轉敗爲勝嗎？則這必須時時刻刻努力以圖自存纔行！如始終閒在平時，忙在臨時，則忙呢，恐終不免於在亡國史上，只添一二比較可看的點綴而已！

2 救國聲中

滬案的發生，至少也給大家以一個做文章的好題目，於是京報副刊便無形取消，不得不變爲三種特刊。做文章，說得正大一些便是宣傳，這當然是好的。但是這樣一來，便令人不由得發出幾種疑問：副刊是不應該談救國的嗎？愛國志士們的文章必須要辦特刊纔可發表，每種特刊又必須要一個團體去主撰嗎？爲什麼愛國志士們在發表文章上都要此彊彼界？當眞如或人所說，或更變本加厲，一有愛國運動發生，文學思想，立刻便成爲無

— 273 —

用,而應加以取締的嗎?

在誠懇中奮鬥的少數的朋友呵，祝你們永遠奮鬥下去好了,不要問目前的結果!目前的結果,太使你們傷心了!

在世人呢,這只是一個機會, 他可以趁此而恢復其所失掉的,而攫取其所欲得的。

你們太忽忙了,無暇去聽新鮮的笑話,朋友們!

野心家要想起來了,他們想借此而據得要位,但終於被人看破了。

賣國者也大譽其愛國,他們想借此而粉飾他們下次的贓物。

學者們快樂呵,他們可借此而排斥異己。

代表們快樂呵,他們的宿願已經達到了。

復職的也復職了，因為你們中了他的調虎離山之計。

愛國詩人出現了,他已不是從前的抄襲詩了。

奮鬥中的勇士呵,祝你們永遠奮鬥下去好了,不要留意於這些笑話!將來的笑話多着呢!

流血也好,傷心也好,這在他們呢,都可以在同樣的

— 274 —

算盤上做出買賣來。三加二等於五,總可以算出下次的賺頭。

"你們這些傻子!"老板們於中取利之後在冷笑你們了。

但是,誰們能做永遠的傻子呢,這是你們傻子自己的問題。

長久之後,傻子將要一變而爲聰明人,聰明人將要納罕了。

做永久的傻子去呵,你們真的勇!!

暴發戶要出來了,待事情結束之後,讓我們打回一批投機者去!

公理是與強權對待的嗎?不然?是有兩種公理。

強者戰勝弱者,這是人類歷史上一脈相傳的公理。中國人呵,如你不去做強者時,請你也承認了公理吧!

當善的力戰勝惡的力時,第二種公理便出現了。但這還沒有產生過,誰願意創造牠去呢?

3 給反抗者

— 275 —

你疲倦了嗎?你在失敗中呻吟了嗎? 你以為一切都不可為而倒在墓傍睡着了嗎？你的自負的喉嚨裏不自覺得嚷出"我沒有力量了!"嗎？

你假裝的反抗者呵,請從衰弱中看見你自己吧, 朋友,力量在寂寞中譏笑你了。誰是力量所寄託的人呢?力量是猛進的,堅決的,不回顧的,永久自樂的,誰是真的反抗者呢?

"我永久是寂寞着,誰曾做過,誰將願做我的寄託者呢?"朋友,力量在失望中發嘆了!

你不曾為了要殺一個人,而投降過別個敵人嗎?你不曾被小敵所敗,而便見大敵而却步嗎?你不曾因為無人同行,而停止過自己所應走的路嗎?這些正是你的罪狀,你誠實的弱者呵,請招認了你的口供吧!

你說,一切人都不足與有為,而你也一般地躺在那裏。朋友,現在是你應該譏笑你自己的時候了。

有敢以一人而敵全世界的嗎? 有在百敗之後,而仍歡快地去赴最後的絕地的嗎?

弱者說謊而流涕了。強者呢? 我從你的求友的哀鳴與退縮的脚蹤中而認識你的真的形象了。

真的反抗者出來呵,請你把力量與了世界!

— 276 —

4 我有歹意了

"給我二百元錢, 我賣給你我的身體!"一個女子在路傍壞了好久, 漸漸有四五個小夥子圍住了她。

"一百元錢好嗎?"其中的一個像識價地說了。

"我願照給二百元但須一年後付錢。"第二個說。

"噓!噓!噓!"其餘的, 狗叫了幾聲, 急巴着眼睛要走上了去。

你在換主兒嗎, 你貨物?

你曾被家庭賣給姓張的, 他也配, 區區一個姓張的呵!

賣身是對的, 但必須要自己去賣, 你聰明的小姐呵!

二十元嗎, 三十元嗎?沒有那樣便宜貨! 現在呵, 貨物自己知道去定價了!

你不必哭了, 買主多着呢。這個不合適時, 換一個便好了。

也許你仍然是被賣的嗎?被誰?我太孩子氣了!

我願給你二百元, 奉還你的身體, 但可惜我囊中空

空的呵!

空是可詛咒的呵!但我的囊中如寶時,則你便會空了,我也許會害了你,空是可詛咒的呵!

我也曾做過強盜,但終於改業為善了,所以落得空空的。但我現在又想做強盜了。

我在說謊呢,其實,我一向不曾有過錢,且將永遠窮下去,你倒不必着慌!

我被騙了,雖然沒有失掉錢。

看見有人闖時,我應該踢他一脚。可惜我做錯了。

小夥子們的餓眼含毒射人,我有歹意嗎?

小姐的淚眼含毒射人,我有歹意嗎?

我願使主人窮如貨物,我有歹意嗎?

我願使貨物變成主人,我有歹意嗎?

滾你們的,昏透了的人們! 我將奉以無所有而送你們於死!

5　蕭友梅與音樂家

藝術家時常是反抗者,在歐洲是如此。中國被人認為藝術家的呢,却只有梅蘭芳之流,這是中國人的精神的墮落!

蕭友梅先生是從歐洲學過音樂回來的,論理應該高明些。倒難爲他,藝術沒有學的什麼,中國人的精神却保持了個分文不漏!

有精神高尚的人而見蕭先生同別幾個人上執政書的嗎?這不是關於一個校長問題的上書,還是蕭先生對於他的音樂的廣告!

如其倍多文沒有一副偉大的精神時,德國便决不會產生倍多文的音樂,法國的羅蘭呢,那是法國的深於音樂的造詣的人!中國則無須於此,中國有梅蘭芳便足夠了。然而,梅蘭芳不死,音樂家將永遠絕跡於中國!

聽說北大學生問過蕭先生,說他對女師大事件主張太不公道,不怕有人罵嗎?蕭先生慨然答道:"罵有什麼要緊,只要不提出名字便好!"但我在這裏,雖然題目上一早便提出蕭先生的大名,然我却只是對於中國的音樂前途發表我的一些哀感罷了。蕭先生個人呢,我以爲,並沒有要人罵的價值!

6 面子與愛國

中國是好講面子的，為了這個面子的緣故，也不知道有多少好的事情被推諉過去，壞的事情被保持下來。但面子的功用，似乎便只有這一點。如其為了'爭面子'的緣故，而希望中國人去愛國，真是'太不觀察事實的幻想'。

愛國究竟對不對，思想史上也曾有過很多的爭辯，我的意見，卻以為，如其為了愛人類的緣故去愛國，則愛國應該是對的。但也有人以別種理由去作愛國之肯定，如'爭面子'者，亦其一也。

但氣節而不能使人愛國，人格而不能使人愛國，物質方面的利害而不能使人愛國，區區如面子者，獨能使教書匠不嫌其太冤枉而去負國家強弱存亡的責任，使拉洋車的與坐洋車的都易於感化，小鋪子與大財主也忘其慳吝，冷血的忽變熱，而去同外國人火拚，而去入不得不入的地獄，而去赴明明知道的犧牲嗎？我恐怕，中國人雖然是好講面子的，卻還沒有講到這樣程度。

如其爭面子都不能使中國人愛國時，則——我們的評論家真要窮死了！這是幾千年的'老，大，古國'的恥辱！

我們自然希望中國人此後能有‘許許多多的思想感情’，但不得已而思其次，我們也希望爭面子主義慢慢地‘打進國民的頭腦裏去’，使下次，或下下……次，到不得不作那‘不是什麼有趣味的事’的時候，有不少平常人挺身去幹，我們更希望那些幹的人中，有一個是投筆從戎的西瀅先生。

7 新文學中的新發見

新文學時常受人的指摘，是應該有的事。所指摘的，如‘花呀，愛呀，’淺薄呀，虛僞呀之類，這些都是實在的情形。但新文學中忽然又有了‘羅素說’，而且具有極大的魔力，却是新文學上的一種新奇的現象，也是孫寶墀先生的一個極大的新發見。

‘孔子曰’在舊文學裏究竟有多大的魔力，我們還不容易說定，因爲舊文學究竟有多大的範圍，我們還不容易說定的緣故。——也許天算之類，也是其中的一部。但那是一種極大的魔力，却看了孫先生的文章便可以知道。眞奇怪，新文學裏出現了這樣一種大魔力，連研究文學的人們都沒有覺察，直到孫先生做‘羅素算理哲學’

(現代評論二十七至九)的時候，纔輕輕地把這個消息帶了出來，只此一點，文學家們也就該罵了。

但這話究竟說得太奇怪，比那種魔力的出現還要奇怪，奇怪到使人不能相信。孫先生是不是便是他所罵的'說謊媒婆'中的一個呢？這便成爲問題了。

可是，我們還願意寬慰孫先生一下，不幸而竟成說謊時，倒不必怕有人加上你一個造謠的罪名，因爲中國幾乎是人人如此的。

我現在倒想起那位'拮屈嗷牙'的愛羅先珂先生。

8 我 的 命 令

你如曾從英國跑過一趟，而想在文壇上出一出風頭，你便可以開口一個莎士比亞，閉口仍然是一個莎士比亞，這樣，你可以立刻成爲一個莎士比亞專家。莎士比亞的作品有什麼好處呢？自然會有不少的人來請教你的。你只要說，那是經過幾次推敲，幾次修正的，也便夠了。如你還想賣弄你的學識，那你也只要說，那是怎樣好，怎樣好，便得。記着，你無須擔憂，你只說怎樣兩字便行，並不須眞的要說出是怎樣來。你如想做一個惟一的專家時,那也沒有什麼難辦, 你只要說別人不配談莎士比亞,你便可以成為一個惟一的配談者!你真的配嗎?你最好還是不要反省, 假裝過去便好了, 不然, 受苦沒處訴。

你如沒有什麼文章可做 , 你可以聲明你是主張制育的。並且你可以宣傳你的主張,使天下更無文章可看。但你如偶爾高興,也不妨做一點出來,自然不會高明,但寡婦尚可養孩,養孩尚可流產,而況區區制育論者呢?

你不要自己去動手翻譯,小心丟臉。翻譯錯誤,是下流的勾當,是犯罪。你只要指摘一點人的翻譯,便可以顯出你的外國文學得如何漂亮。

你可以說你家的狗吠起來是英國吠,這樣,你的英文便顯得漂亮無比。

你如怕別人說你的話是廢話,你可以先塞住別人的嘴。自然你沒有這樣本領,說的仍然要說。但也可以瞞哄你自己於一時。

你談起一點什麼時 , 最好先捧出一個什麼水平綫來,這樣,你可做成功一個批評家。也許水平綫並不認識你,但也不妨胡亂敷衍一下,好在水平綫也未必認識別人,

過幾年,你也許要摸不着頭腦,覺着他們都不對了,

— 283 —

你從前有些太取巧。但那也不要緊，到那時你另換一套便好了。反正取巧是可以得勝的，需要時，你正不妨一天換他一套。

你大可把你的文壇藏起來，不要讓人們看見。你如一次想做文豪時，便吃一碟王爾德歡喜吃過的菜，你報告出去，你便是唯美派文學家了。或者，你偷偷地站在你的文壇上，像念念有詞似的便隨便咕嚕幾下你的嘴唇，你的文章便會做得如何幽默。

你說話的時候，總不要忘了提起你的學生，你要裝出自己活像一個先生的樣子，你的身價便可以特別地高。

擺架子，裝門面，處世之金針也。我今贈給你，一生吃養不盡矣。去吧，寶貝們！你們將要為世界生色不少。

忽然想發命令，但連小學生都沒有的我，將發與誰聽呢？人生之大不幸，蓋無過不當教授者矣！然教授猶可以不當，命令則不可不發，發出去便得了，聽不聽，誰管得他媽的許多！況且，沒有人聽，或正是我的幸福。

9 識 時 務 者

　　我們的古人說過，識時務者，是爲**俊傑**，現代呢，我們已苦於俊傑太多了。

　　外國有一種叫做潮流的東西，一流入中國，便變形**而於時務**，一時趨之者若鶩，因爲我們的俊傑太多了。

　　我們的俊傑實在太靈巧了，可以隨所遇之不同而**化爲種種形式**。從前民黨得勢時，蝦蟆蝌蚪，沒一個不**隸身黨籍**，及至倒黴之後，俊傑們便又相率而趨在袁皇帝的屁股後頭去勸進了。但那時，也有看出皇帝的破綻，先時而高揭倒袁之旗幟者，是又俊中之俊，傑中之傑矣。現代呢，這些自然都秋扇見捐，流年變了，於是三民主義，共產主義，安那其主義，一時都應運而生，而備新的俊傑選製口號時之採擇。然也有眼光較近者，眩於一時之氣燄，仍然奔走於軍閥官僚之門下，拜門生，稱乾爹，而自命俊傑者。而新的俊傑便又羣起而罵之曰走狗，又何其度量之小呢！

　　從前出現過一種報紙，便叫做‘時務報’，一時很受人歡迎，現在流傳得越發廣了。這報，也許會有一天普遍至全國，使我們恪遵古訓以與國而偕亡。這有什麼要緊呢，時務也有了，俊傑也有了⁉

　　傳說中有一個妓女，能幹得很，我們現代的俊傑還

沒有趕得上她的。

　　朋友五人,同時愛着一個妓女,而沒有互相碰過頭。一天,他們談起他們的幸運來,纔知道他們所愛的原來是一個人,而各人都以爲他自己是眞的被愛者。這便應該實驗了。他們一天擺起酒席,把妓女叫了來,團團圍定坐了。酒酣之際,他們便問,究竟誰是她的所愛者呢? 妓女用右手握住一個的手,左手握住一個的手,右足踏住一個的足,左足踏住一個的足,努着嘴向着對面的那一個道:"那我還是愛你!" 於是,五個朋友都高興得了不得,以爲自己是得勝了,而各各都不肯說出。

　　投機,騎牆,三花臉……種種方式都有了。然面面都到如此妓女者,還沒有看見過呢。有願集俊傑之大成的嗎?觀於此,當知有所取法矣!

10 筆 頭 亂 跳

　　他們在那裏闖關,好像沒有聲響了,這使我着急,

　　關是鐵做的,我們從遠處一望,若見那一個黑的,那便是關。

　　失敗是沒有什麼的, 我希望他們失敗之後能夠保全着剛健的身手,以圖再舉。但這是如何難得的希望呵!

── 286 ──

闖進去嗎?也許會永遠出不來,也許會變成了鐵,鐵的力量太大了。

也許已經有闖進去的,但我現在所看見的,仍然是完全的鐵。

他們叫喊着,但像是呻吟了。
他們前進着,但脚步亂了。
他們歡呼着,但像被吞下去了。
他們休息着,但像是死滅了。

我太偷懶了,我只是叫。
叫呵!一切都是空虛。
叫呵!一切仍然是空虛。
叫呵!空虛,空虛,空虛……

"你好便得了,何必罵人!
"你太莫名其妙了,我們不懂!
"有趣,有趣,這一段!"
蒼蠅們在發議論了,大抵是輿論。

印刷機軋軋地叫,餓了。於是而筆頭亂跳。

髒!這是機器拉下的矢,有礙衞生,先生們!

傳單說,你要宣戰。好的!但我的槍在那裏呢!

廣告說,賽金剛來了。我又不是地方官,誰要你報到?給我相面嗎?一副凶相,我知之巳久,不勞煩!

一個人所需要的,不是六尺地,而是全世界。--個俄國人這樣地說了。

但我們的人呢,却是,只要轉一囘圈子便夠了,或者偸空兒在別人的脚上踏一下,這是多麼知足而且知機的哲士呵!

然我的世界,也便割裂而成爲許多許多的圈子,我便落得赤條條地了。於是而我只剩下筆頭亂跳。

筆頭外,還有能跳的嗎?請從我身上跳過去!

11 兩 敗 俱 傷

這次女師大停辦的消息　晨報總算是比各報先一天傳出來了,好個消息靈通的報紙,也許比消息的產生還知道得早吧?

　　牠很得意地說:楊蔭榆同學生兩敗俱傷了。還好像是含有警告的意義:看!你們反對校長,你們自己連學校都住不成了!

　　楊蔭榆的敗,已經證實了。用威嚇而敗,用陰謀而敗,用武力而亦敗。滾蛋之後,只餘後悔,的確敗了。

　　但學生的敗在什麼地方呢?在楊氏統治之下無教育,即便停辦,也不過仍然是無教育罷了。如其有所失掉的時候,則失掉的也只是楊氏的家庭,這正是學生所需要失掉的,如何能謂之敗?

　　打破家庭之後,能不能找到真的學校,有社會在那裏支配着,不是幾個人的能力問題。這只能夠顯示:如社會不允許真的學校存在的時候,應該如何去打破那阻礙教育的社會呢?停辦學校,只不過證明楊蔭榆之外,章士釗是更應該驅逐的罷了,更無所謂敗。

　　研究系是代表中國一部分黑暗勢力的,無論那一次黑暗運動,沒有一次研究系不從中搗鬼,而牠的大本營便在明暗不分的所謂教育界。如這次女師大的風潮,沒有這一般人在楊氏背後手指脚畫,又何至鬧到這步田地?事實表現得很顯明:如想到真的教育,章士釗之外,研究系是更應該毀滅的了。然這也只是奮鬥的範圍的擴大,無所謂敗者。

— 289 —

犧牲一切,面對着失敗,至少,這次女師大學生的運動中含有一部分這樣的精神。卽便眞的兩敗俱傷,又何足餒戰士之氣？中國何事又不是雖然兩敗俱傷而也無可顧惜的呢?然在以狗頭做頭常想於中取利的人們,則永遠不能够明白這一點!

12 造 謠 與 更 正

九日的晨報載有女師大校務維持會職員名錄,我看了很覺離奇。後來我遇見其中的一個'職員',則說並無其事。我們知道又是晨報在那裏造謠了。果然,次日便一連又登出兩封更正的信。晨報記者果眞發了昏,爲什麽只往外昏不往裏昏呢?

雖然,造謠者,惡劣的新聞記者之慣技也。假使不造謠,報紙上還有新聞可登嗎?只累得更正者們麻煩透了。這須要有一個根本的辦法纔行!

13 閱晨報章士釗與通信社
記者的談話之後

學風嗎?古文嗎? 邏輯嗎? 一切都退還原處好了,假面具是戴不住的!好官我自為之,連做壞事的勇氣都沒有嗎?

學校'鬧潮',解散了便好了!來一個解散一個,到一齊都解散了時,正可做你太平無事的教育總長!

你是抱着犧牲主義而來的嗎?好個漂亮腳色! 現在呢,你犧牲的時候早已到了,你第一是應該先犧牲了你的教育總長,雖然至多這只是等於你一無所得!

停辦女師大,原來是因為無法解決的緣故,那你還做教育總長幹麼?這便是你平昔所抱的主義嗎?否則,你的主義已破產了,現在是該你辭職以謝國人的時候了!

是整頓教育呢?是犧牲教育呢? 看晨報記者給你夾注得多麼光芒辟射!

說人話要做人事,要辭職乾脆辭掉好了,只不過一件不平穩的兼差呵!否則,我知你有一天必且滾蛋也!

14 論 '論 是 非'

去年便聽說過'洪水'的出版, 當時很想找幾份看,但終於沒有找到。時光過得很快, 復活的'洪水',現在已放在我的案頭了。

正因為所期許者太過 ,所以不滿足的地方也便特

— 291 —

別題露了。我現在所要說的，是關於霆聲君的‘論是非’那一篇文字的幾句話。

‘祇有好的纔是好的，祇有壞的纔是壞的，’這樣主張，怕沒有人會以為是不對。但這也正是一切人的主張。沒有人會以為祇有壞的纔是好的，祇有好的纔是壞的，或者，祇有紅的纔是好的，祇有綠的纔是壞的。如是，我們便拿這祇有的好壞作批評好壞的標準，自然不會弄錯的了。我們且批評一下看者——

譬如：古今中外新舊，旣然是實有的了，我們要批評一下，究竟是古的好呢，今的好呢？中的好呢，外的好呢？新的好呢，舊的好呢？我們便回答道：祇有好的纔是好的，祇有壞的纔是壞的，或者，好的是好的，壞的是壞的。這誠然是對的，然我們幷不能由此而知道究竟古的，今的，中的，外的，新的，舊的，還是那一樣是好的。那我們便應該再進一步了，這便是——

譬如：我們祇以中外作例，究竟是中的好呢，還是外的好呢？我們先定好批評的標準，是好的是好的，壞的是壞的。我們於是去批評了。如其中的好呢，我們便說中的是好的。否則，外的好呢，我們便說外的是好的。但這，在霆聲君看來，好像是錯了，這好像是用了地位的區別來作批評的標準了。

— 292 —

'一個時候的東西可以有好的，但也可以有壞的，'這話誰也不能否認。但是，當我們問道：這個時候的東西好呢，還是那個時候的東西好呢？這時，我們要知道這兩個時候的東西究竟是那一個的好，我們如何能說：'一個時候的東西可以有好的，但也有壞的'呢？

在事實上，常有一些地方的區別放在那裏，這區別應不應該有，不是我們現在要討論的問題。當我們說中國的時候，意義是在指着地球上的某一塊地方，當我們說外國的時候，也是如此。譬如：我們說到文學的時候，我們要問究竟中國的文學好呢，還是外國的文學好呢？這裏所說的中國的和外國的，只是事實上的一種區別，決不能因此便說我們是在要拿了地方的區別來做批評文學好壞的標準。——正如說，洪水是上海的一種出版物，這是在北京的人也承認的，在上海的人，而且在霆聲君，也都承認的。——而且，我們的標準也已經定好，只有好的纔是好的，只有壞的纔是壞的，於是我們便來批評了。這自然，我們是要說，中國的文學好，或者外國的文學好，只有這樣纔是批評，因為只有好的纔是好的。我們不能說，中國的也有好的，外國的也有好的，或者，中國的也好，外國的也好，因為這不能解決我們所要答復的問題，這不是批評。在這裏我們還應該知道，如其

—— 293 ——

—— 303 ——

我們的答案是中國的文學壞,外國的文學好時,沒有人能够曲解我們是在說,柯南達爾高於屈原。

從有了古今中外新舊之分,便有了古今中外新舊之爭。而各人又都以爲'只有好的纔是好的,只有壞的纔是壞的,'而有一等人說只有古的中的舊的纔是好的,有一等人說只有今的外的新的纔是好的,而且還有一等人說,古今中外新舊也有好的,也有壞的,於是便形成爲'尊古','崇洋',妥協三派。我們如要批評這三派的得失時,那我們便要問了:究竟古的好呢,洋的好呢,還是古的洋的都好呢?在我們答復這個問題之前,我們不能判定那些說古好的便是尊古,說洋好的便是崇洋,因爲這'尊'與'崇'的字樣,都是由成見而來的。我們於是定好了標準,只有好的纔是好的,於是我們便說'尊古'的好,或者'崇洋'的好了。至於第三派呢,我們可以說他沒有成立的價值,因爲他沒有盡了批評的責任。卽如,當他批評那'尊古'與'崇洋'兩派的時候,他不是應該說,'尊古'的也有好的,'崇洋'的也有好的嗎?況且,我們在批評這三派的得失之前,我們已經採取的是反對妥協的態度了,否則,我們不是應該說,這三派中那一派也有好的,而不需要批評去嗎?再則,我們批評的結果必不出於'尊古'與'崇洋'之兩途,然我們不能承認我們是'尊尊古者'或

'崇崇洋者'，正如妥協派之不能承認他們是旣'尊古者'又'崇洋者'一樣。

我的話在這裏要暫且停住了，然我們已可知道霆聲君的議論實在連自己的論據同論點都沒有弄得清楚，而如果他也在同他所反對者取同樣的態度，張百石之弓而想射死一切敵人時，則他怕還不只於弓弦寸斷已吧！

此外，則霆聲君所舉的那兩派反對者的例，有些不符事實，這也是批評者所不應該有的態度。

我願意'洪水'眞的做成中國思想界的洪水，因爲這正是我們現代所要求的呵！但是，如這樣妥協的論調，則決非我們所希望於洪水者！

15 蒼蠅及其他

秋天來了，我的屋裏已不再看見蒼蠅。這原不是一件什麼憾事。

無聊，便拿起晨報附刊來看。聽說是改良了，還不是如一般之所謂改良吧！附刊本來便不容易辦好，何況又是徐志摩，一個惡劣的話匣子呢？

看下去——話匣子在動作了。辦，爲什麼，想怎麼——不會有的事！

話匣子動作下去——刮刮，肥料，刮刮，陳通伯，刮刮，流行病，刮刮，油話——話匣子也生油了！

接着便是，……

秋天來了，我的屋裏已不再看見蒼蠅。這也未始不是一件憾事吧！

水平線，思想的事業！你們如何不幸呵！

大海——行潦，行潦便假充大海了。行潦外，世間便能更無水嗎？

過幾年，也許有妓女而假充思想家者出現嗎？中國的思想的事業呵！然而，這只是話匣子的事業！

秋天來了，我的屋裏已不再看見蒼蠅了！

— 296 —

花 園 之 外

詩　人

詩是生活，不是技巧。

假的詩人只想從模倣，倣，寫中求得詩，所以他們終於是迷途者。

先有行為：詩人是人生的實行者，

詩人的人生，不是自我的利害，個別的瑣事，而是人類全體的生命。

詩人詛咒罪惡，非根據法律第幾條，而為由人性的深奧處所破發者。故世間無單獨的罪人，一切人類是犯罪者，現實便是人類犯罪的證據。

詩人歌頌理想，不出於理智的判別，不出於剎那的幻想而為由人性的深奧處所開掘者。詩人是人類的靈魂的探險家。他不能滿足有不能被他透視的隱蔽的真實。

光明藏在黑暗的下面。詩人是光明的嗜好者，也是黑暗的嗜好者。詩人對於一切，不取躲避的態度。詩的自身便是最高的勇敢。

詩人讀別人的作品，只是要從別人中看見自己，不含有下級的研究的意味，研究的饋惰蒼偷竊的勾當。

行爲的本身是創造的，人不能夠偷竊別人的行爲。詩人站在人類的上面，同時又站在人類的下面。但他決不與庸衆妥協，委蛇而周旋。

詩人是敏感的，社會是跛脚的，眞的詩人必不爲社會所了解。詩人所明見的未來時代的眞實，在社會是瘋狂者的囈語。

詩人的行爲，在社會必常以怪誕目之，詩人常成爲人生的奇裝異服者。

詩人是神行者，他常背負着時代的運命向遙遠的前面驀進，但他所背負者畢竟是太重了！

一首好詩，一定是當代文化的最高點。祂需要科學革命的合作而完成人類的使命。

詩人是人類的一首好詩。

一九二五，十一，二十八

讚 美 和 攻 擊

願你時常需要攻擊,而不需要讚美。

讚美是生命力停頓的誘惑,是死的說教者,是一個詛咒。牠說:"你是好的了,你可以死了。"

世間沒有至好,而只有較好。較好便是較壞,因為還有比牠較好的。

願你時常覺着較壞:這樣你可以時常成為一個較好者。

攻擊便是這樣:牠常遺棄了你的較好的,而說出你的較壞的,牠常給你指出一條更遠的路。

懦怯的人,因為自己沒有勇敢,所以喜歡人們讚美他們是勇敢,他可以從人們的讚美中而假裝一個勇敢的人。

能夠時常追求著勇敢,而時常自以為懦怯,他的追求宣示他是一個真的勇敢的人。

時常感到不足的人,他可從自己得到他的滿足,因為一切似乎可以滿足他的,都不能使他滿足故。

願你時常攻擊你自己,願你時常接受別人對你的攻擊。

可惜世間能够攻擊人的太少了。世間的攻擊,幾乎都是排擠,誠意的或惡意的。

然而,豈能因為假的攻擊而忽視了真的攻擊呢? 有

— 299 —

能够接受真的攻擊,而反為假的攻擊所屈伏的人嗎?

喜歡讚美,是小姐的脾氣,可惜非笑小姐而自己去做小姐的人太多了!

世間,真需要攻擊的人,有嗎?

花 園 之 外

前幾年雖常聽見文學革命的呼聲,然文學革命,却好像沒有看見過。中國人是只會喊叫的,而且喊叫也是很容易疲倦的,不錯,現在連文學革命的呼聲都聽不見了。

中國文學,也許已經革新過一些似的,從前在古典中抄典故的,現在已經沒有了。中國新文學的創作者,已經從古典中跳了出來,然不幸却又跳到花園裏邊去了。

也許中國文學已經革命過了?大概中國無論什麼革命都是如此的。政治革命的結果,產生出軍閥,軍閥,軍閥。文學革命的結果,產生出花園,花園,花園。

假如文學不是花的表現的時候,我想,中國新文學的創作者,一定還沒有認識了文學呢!

我們所以反抗古典文學者,是因為牠沒有生命,不是因為牠沒有花。由反抗古典文學而發生的新文學, 花則誠然有了。然而生命呢?生命呢?生命在那裏?

不然!中國文學還說不到什麼反抗,只有摹仿罷了。而且摹仿也只於摹仿了一些花罷了。只於把舊的動詞,副詞換了新的,從古典中摘出一些好看的花名,從新排列過一回罷了。甚至,連從新排列都不容易看到,只於是堆集,雜湊罷了。

唉!中國新文學的創作者,還在抄襲古典呢?

唉!也許眞的花園還沒有,花園還只是建築在古典中呢!

我並不是說文學中不應該有花,然而文學中決不能只於有一些花。假如文學要只於是一所花園時,有自然的花園便够了,便用不着文學。假如文學要只於是一些花名的堆集時,有一本花譜便够了,便用不着許多人去白費時間創作。

也許中國的社會太紊亂了,有一些人,爲了自己的清靜便跳進花園去。然而跳進去便跳進去好了,這於文學沒有關係。而且也太軟弱,太自利了,這也不應該是文學的創作者。然我還不敢相信,像這樣沒有別的目的而能跳進花園去的人,還怕少有呢。

歐洲文學,在古典主義之後,由個個的覺醒而發爲

— 301 —

羅曼主義,由社會的發覺而發爲自然主義,由靈魂的解剖而發爲象徵主義,神祕主義,由力的要求,精神的要求而發爲未來主義,表現主義……中國呢? 中國只有花罷了。

誠意的新文學的創作者,應該跳出花園,去看見自己,去看見社會。不然,花園則有了,然而文學呢?文學呢?文學在那裏?

新文學的希望

新文學還在萌芽時期,我們原不必急於要求成功的作品出現,而且事實上也不能一下辦到的。無論什麼新的東西的創造,都是件極其困難的工作,必需要經過長期的努力纔行,新文學又何能出此例外? 中國的傳統精神,及由這傳統精神而表現的社會思想。根本上都是同新文學衝突的。無論那一個人。既然生在中國,做了社會的一個分子,便都不能避免爲這種精神與思想所支配,自己的生命,便都不能避免爲這些東西所吞沒了去。文學是生命的表現,生命還沒有覺醒之前,如何會有表現出來呢? 所以,想從事於新文學的工作的人,第一,必須先去發見自己的生命,先從自己中把由歷史與社會

-- 302 --

所傳習來的東西盡量驅逐出去，以救出遺失了的生命。
如是，則新文學的創作者，必須同時是一個反抗者了。如
這種工作，做到某種程度上，可以做出成功的作品——
嚴格的說，成功是沒有的，只有進步——正在進行的時
候，可以做出幼稚的作品。（所以幼稚的是好的，因爲他
有成功的希望，但一固定了時，便壞了。便要退回舊路上
去了。）但是，這種不息的反抗精神，在中國是很難於發
見的，最明顯的緣故，便是吞沒了生命去的妖魔，已經一
倂把生命中具有的這種精神也吞沒去了。這妖魔並且
使自命在文學的路上走着的人們，連文學是什麼東西
都不能認識。有的以爲只要是用白話寫的，便是新文學
了；有的以爲白話中用一些好看的字句，便是新文學了；
有的以瑣碎的描寫，事實的記載爲自然主義……。幼稚
的作品都難於看見。充滿了報紙雜誌的幾乎都是假的
東西。這如何能夠避免呢?名譽呀，地位呀，什麼呀，都在
誘惑着文學家們趕快去做文學家吧。文學家們還沒有
做出什麼東西，已可以十足地擺起文學家的架子，社會
也可以交口稱道某人是文學家了；文學家也可以大踏
步地走到社會的上面去了。够了，夠了，人生一世，這還
不是很榮耀的事嗎? 什麼反抗社會，什麼享受別人的痛
苦，誰又有那麼傻呢?於是，文學家層出不窮之際，新文

學却早已流產了。

中國如想有新文學嗎？我們乾脆不需要什麼文學家！我們只希望多出現幾個反叛；至少，我們也只希望多出現幾個有志於反叛者！

中 國 與 文 學

號稱精神文明國的中國，打敗仗，受外人欺負，或者有可以原諒的地方，誰能够拿一本孝經去退敵呢？但那些精神方面的產物如文學之類，至少，也總該有一些成績纔是，不然，豈不是太說謊了嗎？不幸，文明是假的，而說謊是真的，中國的確沒什麼文學，而且連文學還沒有認識！

"紅樓夢，水滸傳，也不是文學作品嗎？你為什麼污蠛中國？"何處來了反抗的聲音。

"朋友，一兩部好書，不足以證明中國有文學，正如你一個人愛國不足以證明中國人都愛國一樣。"我回答。

我們的反對者已經沒有響聲地走了。現在我們試把中國的小說翻開一看，其實也不需要重翻，我們知道的就已經不少了。我們在這些東西裏邊，實在找不見什麼情感，而只聽見某作者在那裏說話。如其這本書是敍述不好的事呢，你便只聽見作者在那裏罵着他的幾個仇人。如其是敍述好事呢，也便只聽見作者在那裏說着他的某一種心願。其餘的，就不外是說鼓兒詞的跳在書裏雜湊的一些無味的事實的連鎖之類罷了。在這些東西裏邊，我們只看見某人用一本書為他自己說話，正如一切人用嘴為他自己說話，作者的特長，只是比別人會拿筆杆罷了。中國，文學家雖然沒有幾個，然會拿筆杆的人却不在少數，況且又是古國，由這許多許多集合起來，堆積起來的拿筆杆的人們，為自己說話的小說的產額，的確已不很少了。把這些小說同樣地集合起來，堆積起來，可以成一座很大的圖書館。但這圖書館，與雜耍場，說書攤，並沒有什麼根本的分別，不同的只是進去的沒有娘兒們，而是認識幾個字的人們罷了。

文學究竟是什麼東西呢？如只是為自己說話，那一個人不會為自己說話呢？用筆寫的和用嘴說的，或親自寫的和用一個書記寫的，究竟有什麼不同的地方呢？

我們再去看一下那些小說的讀者，他們究竟為了什麼去讀小說呢？不加思索地立刻便可答道：他們也是為去讀那為自己的說話。讀者同作者眞是英雄所見呵！他們讀什麼小說的時候，立刻便去佔據了作者的地位，去為自己說話了。如其敍述的是不好的事呢，他們也便在那裏述說他們的心願。或者他們在那裏議論什麼事實。

這樣的讀者，當他們去讀幾部例外的好的作品時，也用的同樣的眼光。林黛玉漂亮呢，還是薛寶釵漂亮呢？我如娶老婆時，一定是要薛寶釵，多麼溫和！娶下夏金桂那樣老婆時，可就糟了。無論如何，我是喜歡十三娘的，因為我太沒本事了。讀小說的人們，至多，也只能發出這一類的批評。

同樣的讀者也用了同樣的眼光去讀幾部例外的新小說。當他們讀'吶喊'的時候，以為'阿Q正傳'是在譏笑別人。讀了'沈淪'之後，至多，也不過是來一回手淫罷了。'超人'呢，他們覺着有一雙女性的手在那裏撫摩他們呢！所以，玉君之類的東西，倒正是應讀者們的需要而產生的，無論在文學上如何沒有價值。

中國實在是沒有什麼文學，也沒有能够賞鑑文學的羣衆。有志於文學的人沒有文學可資研究，偶爾做出一點好的東西來，也不為中國所容納。外國的作品翻譯進來，因為裏邊沒有事實可以為自己所應用，一般人都不去讀。關於文學的理論的書，旣沒有幾本可讀，有的，人們也不讀，讀了的，也未必肯去細心理解。中國的文學，無論在創作，在閱讀，在批評，在翻譯，在理論，那一方

－ 306 －

面看來，都還是一片荒地。有願意站在這片文學的荒地上向四處瞭望的嗎? 朋友!我相信你并且可以看見了中國的精神文明的真象!

假　　話

我在說出我對於玉君的意見之前，不能不先說幾句關於本書的自序的話。因爲這正是作者用他的說話，宣布他著這本書的基本的意旨，我們如能夠認識了這篇自序，則對於本文的認識便更加容易了。

作者在自序上劈頭便來說，歷史是實話，小說是假話。這便使我不能夠明白。我以爲作者如其是做政論時，則這話也許是對的，因爲國家大事，的確要在歷史上去找。雖然中國人是只知道事實的，然就事實而論，便已經不能說歷史是實話，小說是假話了，這不是很明顯的嗎? 便是最確實的歷史，也只是某書的著者，對於某種事實所收集到的傳聞的記載的一部分罷了。反之，我們在小說上倒可以時常看見一些眞實的社會上的瑣事。而况小說又是超於事實之上的呢?

羅丹說，照像說謊，而圖畫眞實。這話簡單地來解釋，便是照像攝取了自然的表面，而遺其生命，圖畫却能夠把自然的內部的生命表現出來。歷史是照像之類，而遠不如照像之詳盡。小說和圖畫，則我們都知道是一個母親——藝術——所生出的兒子。作者同羅丹的意見，如是其顯明地立在相反的地位，我們從此，也可以知道歐洲的藝術家和中國的小說家的思想不同之一斑，而兩者相距又如何之遠。

作者既然把小說認為是某個人要用他的理想與意志去補天然之缺陷的一種東西，則作著不特不能在玉君裏表現出人類的內部的生命，而且也不能夠說出真實的事實，自是當然的結果。所以小說不必是假話，而玉兒之確乎是假話，則不特作者自己承認，怕愛讀玉君的人，也沒有能夠的反對的吧？藝術之所以有他的特殊的價值，是因為他能夠表現出內部的生命為別的東西——如歷史和科學——所不能故。藝術家的惟一的工作，也便是去感覺內部的生命為一般人所不能感覺到的。如小說只是假話，小說家只是說謊者，則在現在虛偽的社會中，真實是難於發見，假話和說謊者，則到處皆是。如是，則中國已經有了太多的小說和小說家了，玉君和玉君的作者，只是這些太多者中的一個，增之不覺其多，減之不覺其少，所謂無足重輕罷了。則作者在他的自序中，豈不是好像在自己聲明，玉君並沒有存在的意義

— 308 —

的嗎?我尤其不滿意的,便是作者因爲玉君是假話,而邊謂小說也是假話,我覺着這一跳太跳得遠,這對於小說太不負責任了。同時,我又非常惋惜玉君的作者,只把小說認爲是假話,以致只生產出一本玉君。

藝術家要使海棠有香,鰣魚少刺,這一類事情,我們在中國也可以看見好多。婦女們——現在便不只婦女們了,這也許是所謂人生藝術化嗎?——因爲臉子不白,去搽粉,不紅,去抹胭脂,這是有香之類。天然的足大得太缺陷了,便去裹了起來。天然的婦女動得太缺陷了,便去把她們關在家庭裏,這可以歸入少刺的一類。然而這些,不特與藝術沒有關係,便是玉君的作者與一部分愛讀玉君的人,他都在反對這些不自然的現象呢!

以下,我們便又發見了作者一段與前面的話完全矛盾的論調,便是把小說家比做工蜂,把小說比做從花中偷出花蜜而釀成的蜂蜜。我們知道,花蜜確乎是花裏邊的東西,工蜂從花中偷出花蜜而釀成的蜂蜜,確乎是工蜂用了自己的工作而把花蜜更爲精鍊了的。蜂蜜固然不是花蜜,但蜂蜜却也不是在花蜜上又添補了什麼的一種東西,而是把花蜜更爲精鍊了的。所以我們在蜂蜜裏邊並找不出非花蜜的分子,而只能找出更加精鍊的花蜜,而這種精鍊便是成於工蜂的工作。假如我們以

— 309 —

爲這件事情能夠同小說相比，則花便是自然，花蜜便是自然的內部的生命，蜂的偸取便是小說家的感覺，釀便是小說家的創造，蜂蜜便是成功的小說。我們在這一段經過中，並沒有看出蜂採用了玉君的作者的意見，從花中搜尋出天然之缺陷（非花蜜），用了自己的理想（沒有這件東西）與意志（只是努力）去假造了蜂蜜以補花的缺陷，或者添一些別的糖質進去以使蜜更爲甜些。我們由此，只於看見蜂蜜的作者比玉君的作者高明得多，他決不能夠站在玉君的作者身傍去給他的假話辯護。

這些是我對於自序裏邊作者這本書的基本思想要先說的幾句話。至於其他的部分，如爲自己證話，心理分析，這般寫，批評與三政之類，則待我把玉君解剖了之後，再來說及，因爲這樣，可以比較容易明白一些。

睡　覺　之　前

1

唯美派的作者，從肉的享樂中，去追求美的想象，從自我的滿足中，發見了人生的痛苦，發狂與自殺，裝飾派的作者却用了好看的字把從自我的感覺中某一刹那所得的一點痛苦都掩埋了。裝飾派的作者，不只是沒有普

—— 310 ——

遍的人生的感覺，而且也沒有表現自我的表面的刹那的感覺的手腕。文字是文學的作者的工具之一，但裝飾派的作者，却變成了文字的奴隸。

歎氣是人生的一件寶貴的事情，因爲這是發覺了現實的醜惡而感到創造一些新的東西去的需要的一種心的表現。但這樣的歎氣，我便不容易聽到。我聽到的大抵是如此的：當花正落的時候，人們看見了花落而發出的歎氣；當花已落的時候，人們想起了花落而發出的歎氣。

文學的生命，不在於表現，而在於感覺。中國人向來是注意事實而不注意生命的。把這種思想應用在文學上，便是注意表現而不注意感覺。表現者，所以表現感覺也。失敗於感覺，而欲成功於表現，此中國文學墮落之總因，無論新舊，出此例外者，不過少數而已。

2

人類究竟是一個什麼東西，這一個問題，在我的心裏，大概已經迴旋過八九年了。我現在所能答復的，便是我直到現在，還沒能夠確切地答復這個問題。我有時，也以爲人類的本身，好像也具有"福音"那麼一種東西似的，但有時，我也便遇見了"噩夢"。有時，我的心覺得像

— 311 —

要飛了出去似的，但有時，又覺得沈重到要死的地步。有時，好像有兩種東西在我的心裏衝突着，但有時，確乎又是許多許多的東西的渾戰。這也說不定是我的錯覺，我時常，當我的心梦亂的時候，我覺得世界呀，一切呀，什麼都沒有了，有的只是我的渾戰的心，且有時，竟覺得這心也有些靠不住，有的大概只是這一團糟的渾戰罷了。但這，又終於不能夠阻止我，當我覺得輕鬆的時候，去摸索什麼亮的影子。

在我的心裏，有一個基本的觀念，也許會和我的心同其永久或短促的，這是我把我的生命及以外的一切都寄託在上邊的一個觀念，這個觀念，我叫牠做"力"。我用了這力去參與一切的盛筵或騙局。我應該寶重這個東西，因爲牠使我在混戰之下，逃避了像退縮那麼一類最討厭的侵襲。我時常，也感到把這種東西伸展出去，擴大了面積，這結果的一部，便是寫，寫，寫……既然是渾戰，便索與迅速地，開闊地混戰了下去，這大概成爲我的一種信條了。

3

我的精神時常在趨向着一個最高的地點，我所以永無休止，像個破家子似的揮霍我的精力者，便是爲了這個緣故。

自然,精力的渾霍,是不受尋常的事例所束縛的,揮霍得越多,收獲的也便越多,所以我在揮霍之後,反而越變得殷富了。我想,這無論如何,總是我所特有的一種權利。

宇宙間有最高的地點那麼個東西嗎?我常這樣疑問着。回答是:趨向着最高的地點,我的精神,當然走的是最高的路線。

然而,我又時常要恍然自失了。在我自己這方面所得的勝利,却形成了我在社會方面的損失,我感到我自己的升高,便是我的伴侶的減少,和寂寞的增加。

"我同樣要救起了他們!"我的精神常這樣狂吼着。而事實是這樣:他們既然不能自救,他們自然是難救的了。而且,我越升高,我同他們的距離便越遠,也便越難。

"怪物!噓!……噓!……噓!……"於是,我的同伴竟向我--齊發出這樣叫嚷。

在某一點上,我承認我是怪物,因爲我常視之爲常物的,我也開始以爲他們是怪物,而無法去了解他們。

真的怪物的享樂,便是永久的苦悶。

4

在去年的時候,你曾做過我的朋友,但現在,你是我的敵人了。我有時,愛我的敵人甚於我的朋友,現在呢,我愛你甚於去年。

有一次,你曾看過我一眼,你的眼外滿堆着笑容,你的眼底却深藏毒意,從那時起,我便愛上你的眼睛。

但從那時起,我們便分離了,我的眼睛沒有再看見你的眼睛,直到現在。於是,我們便真的成了敵人。

而現在,你又看我了。你的眼底的毒意仍是去年在那個寶貴的時間裏被我發見而想保存起來而終被你奪了回去的,而現在,你又回顧我了。

服毒是好的,我相信。從這個,我可以知道了生之為生和死之為死,這是太難於知道了。

取出你所深藏着的,你施捨者,我的親愛的敵人,

5

電從遠空閃起,放萬道金光。

我睡在暗中,面對着孤獨,做着歡喜的夢。電從夢中閃起,放萬道金光。

如有雷鳴,飛入我的手心,我手覆處,將見洪水驟降,一切都成白地。

乃夢復寂然,電流亦涸,遠處時見白光,有如燐火,

將斷將續,喘於墓道。

6

給生命以死滅的,把人當做猴子叫他玩那可笑的簡單的把戲的,那便是家庭,這樣惡劣的社會的形式,而能延長數千年之久,而且還被現代的人們像珍奇似的保存着,只此一點,我便配服人類的愚蠢到十分了!

誰曾在家庭裏邊得到過幸福呢?我們不會找見有一個人敢於給我們以滿意的答復的。同樣地,我們也找不見有一個人敢於毅然決然地把家庭毀滅掉。人類是一種虛偽的動物,他所認爲對的,永遠不是他所實行的。手揮五絃,目送飛鴻,人類生活的眞象永遠如此。

憶　　W

昨天的上午,一個朋友告我說,W在山西被抓去了,抓到什麼地方,他不知道。消息是從W的一個朋友通信來的。那個朋友,本也應在被抓之列,只因爲跑得快,總免掉;但跑到河南,又被扣留在某司令部裏了。因此,我們對於W被抓的原委,更無從得知。知道的,只是W是被同縣的一個高小校長報告的,他去年十二月初七日回

到縣裏,初九日被抓而已!

　　一個月前,我在京漢車上,便聽到山西南路有通緝X及X的同黨的消息。聽說已經抓了不少的人,而且鎗決了幾個,也有逃了出來的。如一個可笑的解某,也便是被認為X的同黨而被抓而終於逃走了的人中之一個。我當時聽得非常好笑,以為解某之生,或解某之死,與山西大局同樣毫無關係,何以也會惹起官廳的那樣重視? 當時還想寫一篇昏頭與昏腦,開開玩笑。但並沒有聽到關於W的什麼消息。現在既已弄出事來,那想來一定又是同X有關係的了。雖然在事實上,我一點都不能找出W同X的關係—— 或者只是W在某校時被X開除過一次—— 然而,照例昏頭昏腦的官廳,他們懂得狗屁!

　　一個人活在現社會之下,本來都是頭上頂着死亡而旅行的;尤其是住在娘子關外的山西青年,誰個不被認為反閻的健將?W的回家,便是他的罪狀,此外如仍搜求什麼關係,倒反是太支離了。然而,W的那個朋友,不被抓於山西,而又被扣於河南,則過河誠為多事,而人的罪狀也便無時無地不可找到 , 這又令我想起我的那句"觸在那面也是死"的老話來。

　　在四個月以前的一天晚上,我送W同S到河南去考某軍官學校,那時天氣已經很冷,我們都穿着很薄的衣服，我們握着手在車站上等候開車中來回走着。我那時對於W不知道有多大的希望，因為W是我們朋友裏邊最平民，最耐苦，最誠懇，最決於實行的一個。而且，我同他的感情也最好，雖然我們見面的次數很少──雖然我們有時也曾談到通夜──然而我們的感情是正因疏離而愈變為濃厚的。而且，我同別的朋友談起話來，也常說只因他是一個真的平民的戰士。這些，都是使我對於他的希望增加其高度的原因。然而，後來却聽說他因為體格沒有及格回家去了。現在想起來，我那時的送行，倒正是間接送他到山西尋死去似的，雖然我現在並不能夠證明他之已經死掉。

其實，死不死又有什麼關係呢？如其W已死，我將不復看見他，如其W未曾死，我還可以再見他，死不死又什麼關係呢？朋友呵！如其已經死掉的時候，請你瞑目地死掉好了！他們也都會跟着你走去，你所走過的是一條必由的路徑，我也不定何時何地會走上的路徑。那頭上頂着的死是常在嚴防着我們的逃逸的呵！

二月二十日，夜兩點。

關於事實的幾句說話

　　人們都在注重着事實。但事實是什麼呢？這便有很多不同的答案。農人們以爲種地是事實。商人呢，是賺錢。軍閥，是擴張地盤。新英雄們呢，是握得政權。在注重事實這一條綱領之下，他們都應該是同志。然他們又都互相以爲自己的是重要的事實，別人的是不重要的事實。其中最冤枉的，要算是自命最注重事實的新英雄們，軍閥們說他們是搗亂，農商呢，也實在不明白他們幹的究竟是什麼事實。

　　但我們從他們的爭辨中，可以看出事實也是有分別的，就是有重要的與不重要的兩種。什麼是重要的呢？便是於他們自己有利的。反之，不重要的，便是於他們自己有害的。我們從這種解釋中，便又可以知道，事實之所以重要與不重要，不在事實的外表，而在事實所涵的意義，事實對於某種人有如何之關係。但一涉及意義，成爲思想問題了。而他們却又都在認爲思想是在事實以外的。

　　中國人是只注重事實的，是知有自己而不知有別人的。所以，事實的價值，他們完全用了事實對於自己有如何利害關係而判斷，並且，他們都以爲他們的這種判斷，也只是一件事實，而不知道，他們却在被一個自私的，卑下的，野蠻的的思想所支配着呢！

　　—— 318 ——

我們現在的青年們，很多是以新英雄自命的。這結果，便是他們都斥思想爲迂闊，文學爲無聊。至於他們做出了些什麼有價值的事實呢？這問題我們一時還答不出來。但我們不妨假定他們是不會做出有價值的，因爲從他們的態度上，我們知道，他們還沒有懂得了什麼是事實的價值呢？

因爲注重事實的緣故，自然理智的生活成爲重要的了。但又因蔑視思想，所以理智也始終發展不到高尚的地方。青年們所自命的聰明，至多也不過是在社會的下面多知道幾種偷竊的方法罷了。至於，感情呢，那是絕對要不得的東西，那於事實多麼有害呵！應該卑怯的時候，感情却鬧出什麼羞憤的把戲了！

青年們都在喜歡看政論，而排斥思想的論文和文學的作品。那些號稱學者和文學家的呢？却也只把學問和文學當做是保持或提高自己的地位的一種工具，他們也正在那裏注重着事實呢！

沒有思想，沒有藝術，社會的黑暗，亡國，這些在一個國家上，都是些極可恥辱的事實，但是我們注重事實的中國人，却並沒有注重到。如其對於一些有價值的事實而無所事事，則有什麼權利配自命注重事實呢，你們真的無用的人們！

— 319 —

論 三 月 十 八

假如我有熱的時候，我不願意用牠去埋葬那些過去者，我是要把牠預約給那些未來者。

"這一次死的太無聊!"讓我這樣說。但這並不是表示我沒有同情，而是表示我對於那下次的或然的死者應該換一個較好的方式,估一個較大的價值的希望。

一千付輓聯，抵不住一個無名者一刹那的眞的覺悟與決心。一千行眼淚,抵不住血的一滴的跳動。

慘殺不是有力的反動,無足驚,無可畏,那只是死屍的返照的回光。重要的是,有沒有新生的力也在動顫?

我願意藏起我的傷心與眼淚，而用鎭靜的歡喜遙望着未來的健者。但是我的遙望成爲空望時,我將要破露我的弱點了!

純然對於慘殺的訊咒，那是從卑怯出發的一種情感，在那後面，有饒恕的乞憐的無望，僥倖的逃避的失敗,出乎意外的破滅在植根着。

自然不欺騙人,是人誤會自然。人想走捷徑,所以給自己橫添出無謂的往返。

自然永久是偏愛牠的少子，但牠不能够用智識直捷使他們知道,所以牠有時不得不用打罵的方法。真的,牠的可愛的少子們,於是便要明白了。

地球上沒有真正的敵人,只要看出他們的死的機關,他們立刻便會成爲死人。這是多麼可笑的敵人呵!

但是,敵人們笑了!我們是這樣的可憐!讓我們也有笑的一日,讓我們自己把那最後的勝利賜給我們吧!

要自己做去,不要再讓他們造謠! 閉口無言的造謠者在焦急地等候着我們!

三月十八事件及其前後

三月十八日的事件已經算是過去,所剩餘的,大概是開追悼會,出刊物了。

而我今天又不得不在這裏寫幾句文章 , 這誠然是可羞愧的事。雖然——

政府之壓迫民衆,尤其是壓迫革命民衆,是必然的事實,無所謂"當時此地"。這次的屠殺,只是壓迫之一端。政府雖然可恨,民衆雖然可憐,然此外還應該有些事情更要注意。

我並不以爲人們不應該對於這件事致其哀悼,但哀悼而只於哀悼,却是真可哀悼的一件事。

— 321 —

好像自命革命民衆者,現在很有些詫異,以爲像遇見出乎意料之外的事情似的。壓迫之於革命,似乎是一件出乎意料之外的事情,這多麼可詫異呵!

其實這次的民衆運動之對於政府,只是一種請願而已!請願之與革命相類者幾何?請願而被殺,可憐則可憐矣,但有什麼可讚美的地方呢?

但現在烈士倒產生了不少,烈士有這麼容易做!

我也願意哀悼那些不幸的死者們,但我不能夠因爲他們的不幸而證之曰:烈士。

近來間或有人慨嘆辛亥以前的革命精神之不可復有。其實這也是當然的事。那時談革命的人是要殺頭,所以怕死的人如何無端會去談革命?近來,則革命眞只成乎其所謂談了!開會之外,便不容易再看見別的運動。卽如打架一類事,也雖常有,然那只是民衆爲開會而相打,並不是民衆對於政府的打

革命民衆的革命方略,只有兩種? 曰罵; 曰請願而已!

我相信我們的政府,也並不眞以爲他們在壓迫什麼革命。他們也知道革命至少也該有手鎗,有炸彈的。他們只是以爲裝出像壓迫革命的樣子,比較正當些,所以給沒有絲毫革命性質的請願民衆,在電報上加上一點

革命的色澤,說他們携有什麼手鎗炸彈。

而民衆於是不得不辭誤,這眞是可羞愧的事呵!

然而猶自謂是革命民衆。其實不幸而死者與幸而不死者都與革命無關,雖然我們也並不以爲請願較之屠殺是更壞的行爲。

政府只是那麼個東西,不要大驚小怪了吧。

三月十八日的事件已經算是過去,將來的路程,讓識路的人們踏上去!

時 代 的 兩 面

只有在沒有走過的路徑上纔能找出眞的路徑。開創者來時,新時代便出現了。

智巧者忘掉了自己,站在十字路口,看別人的成功與失敗,而定自己所遵循的路線。他迷途於別人的路程中。

歷史只表出過去,不能預示未來。俄國革命不曾模仿法國革命,中國的崇俄論者可以醒醒了吧!

傍觀者清,有傍觀人生之偉力者,惟自然而已。

所以,科學說:"玄學者,迷夢也!"自然說"科學者迷,夢也!"

— 323 —

人類之不得捨棄科學乃弱者之窮相也。而愚陋者乃以此自驕!

自然只示人類以半面。人類所能見之全體其脊背耳。歷史是自然所示人類的脊背。

尊古者曰:"子肖其父。"崇洋者曰:"弟肖其兄。"而Wordsworth則曰:"孩子是人類的父親。"

聰明人面對藝術時,常這樣警告自己:勿陷入!所謂批評家者,其實也沒有什麼大不了,不過是這種聰明人中之一類!

"不能反抗一切,則請你死掉!"這是我對於人們所能說的一句最友誼的話。

人的死同蒼蠅的死很少分別,是呵,許多,許多,許多的人都這樣死了!

死海中沒有活水。連游沫都沒有嗎?跳起來呵!雖然是一剎那的生,然那是如何光榮的生呵!

我不需要一個妻子,因為她只注意香皂與香皂。

這裏的人有看見真實的能力,這在我是一件不能想像的事情。他們時常是望望然而去之,無論對於什麼。

水池所接收的是一塊有重量的東西，但鷄毛呢，牠——牠只是飛來飛去。

也沒有主張，也沒有力量，所以也沒有色彩，是現在軍閥的實情。所謂一軍赤化者，那不便是和奉和直的赤化，倒曹釋曹的赤化，迎段驅段的赤化，反吳降吳的赤化嗎？一軍正是吳張的遠族兄弟，可惜他們自己把家譜忘了。

軍閥是些被動的東西，牠們被歷史，制度，潮流夾攻着而辨不出方向，牠們沒有自覺，沒有時代，牠們互相碰衝而無所謂愛惜，牠們所想佔據的東西是實際上並沒有的東西，牠們衝鋒陷陣在牠們的夢想裏，牠們的全部的歷史便是，短期的紛擾與長期的滅亡。

羣衆說："我們要這樣東西！"藝術家聽了，便"創造"出許多"這樣東西！"批評家從而頌之曰："這是偉大的東西！"

國民性曰："回頭！"於是一些最有希望的朋友都失陷了！中國現在需要的，只是包文正的兒子。

十八世紀是法國的時代，十九世紀是俄國的時代，

— 325 —

二十世紀是中國的時代──但這話我嫌說得太早了！

到來的一定會到來，人不能夠逃避自然，也不能夠壓迫自然。

那一方面都不容易尋見主脚，這是多麼糟糕的一幕劇呵！

我討厭丑脚，但人們都高與丑脚，我看見的也幾乎都是丑脚，連戴着相公帽的都在內。

吳佩孚之命運，終當與八卦同耳。

捉曹也是陳宮，放曹也是陳宮，但曹陳畢竟還算是好的，現在可以不必管他們。

我現在想起一件關於戲碼子的歷史，倒還有趣，便是，當曹錕坐總統的時候，戲碼上的捉放曹，變成陳宮計了。這是曹錕總統時代我惟一記得的掌故。

捉曹不妨說是犯諱，為什麼連放曹都被禁呢？我說不上這個道理。

其實，這些都無關重要，所以捉曹也被唱過，放曹也被唱過，而且捉曹是國軍，放曹也是國軍。

— 326 —

於是,"為什麼放曹也犯諱呢?"這一個道理,連曹錕自己現在都說不上來。

充其量,不過,坐你媽的總統去,反正你是一個傻小子。

人們都想避開苦難,而用聰明去探得一切結果,聰明只騙得了他自己。

Tolstoy 的思想,在 Dostoyevsky 的小說中表現得比在他自己中的更好,那個誠實的老頭終於連自己也承認了。但人們却都想用比 T. 更少的犧牲而得到比 D 更多的收獲。

聰明不及思想,思想不及行為。最後的估價如此。眞價只是從最後那一次估定了的。

— 327 —